Pensées, Proverbes et Maximes

Les Anges

Laurette Therrien

Les Publications Modus Vivendi inc.
3859, autoroute des Laurentides
Laval (Québec) Canada
H7L 3H7

Citations et recherche : Laurette Therrien
Design et illustration de la couverture : Marc Alain
Infographie : Modus Vivendi

Dépôt légal, 1er trimestre 2002
Bibliothèque nationale du Québec
Bibliothèque nationale du Canada
Bibliothèque nationale de France

ISBN : 2-89523-086-2

Canadä Nous reconnaissons l'aide financière du gouvernement du Canada par l'entremise du Programme d'Aide au Développement de l'Industrie de l'Édition (PADIÉ) pour nos activités d'édition.

« Gouvernement du Québec — Programme de crédit d'impôt pour l'édition de livres — Gestion SODEC »

Pensées, Proverbes et Maximes

Pour Solange,

Pour te lire

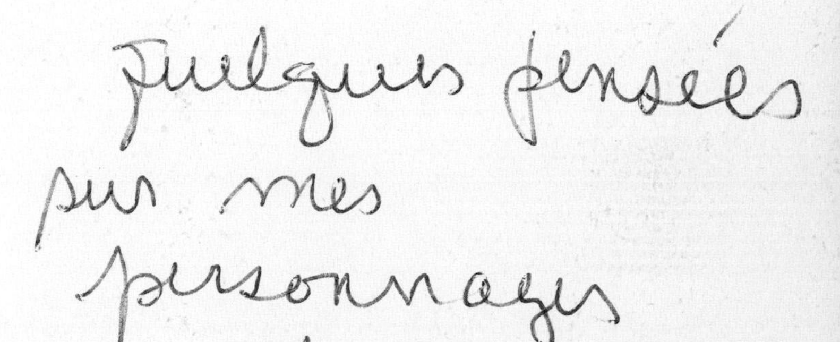

favoris...

Les Anges

Laurette Therrien

RÉFLEXIONS SUR LES ANGES

Quelle que soit l'époque, la civilisation ou la religion à laquelle nous nous référons, l'être humain a, de tout temps, eu des relations très particulières — souvent intimes — avec le monde des anges. Et si un faible pourcentage d'entre nous persistent à nier l'existence de ces êtres de lumière, la grande majorité préfère s'accrocher à cette croyance qui nous permet de mieux vivre, de croire à l'éternité et d'espérer un monde meilleur.

En s'adressant directement à son ange, l'individu accède à un degré de compréhension qui lui resterait inaccessible au niveau de conscience terrestre, car l'humain est un être matériel qui se sert de sa logique et qui a tendance à négliger sa dimension spirituelle.

À cause de cela, et vu le poids de la matière qui le compose, l'homme fait trop souvent abstraction de sa capacité intuitive, s'interdisant ainsi de communiquer avec ces êtres de sagesse que sont les anges. Pourtant, de leur influence et de l'énergie qu'ils dégagent, dépendent son équilibre et la rédemption du monde.

L'ego nous limite. En faisant appel aux intermédiaires célestes que sont les anges, en cherchant par tous les moyens à communiquer avec eux, en demeurant à l'écoute de leur voix divine, l'homme, qui aspire à l'harmonie, s'ouvre à une connaissance accrue du monde de l'invisible.

Pour percevoir les messages subtils que nous envoient nos anges lorsque nous entrons en communication directe avec eux, il faut vouloir écouter et apprendre sans se laisser limiter par l'apparente profondeur du mystère.

Voici pour vous des pensées choisies qui vous aideront à entrer dans un état de méditation susceptible de vous rapprocher de votre ange, tout en vous entraînant à vivre en harmonie avec notre monde terrestre et celui de l'Au-Delà.

L.T.

Si les anges sont les pensées de Dieu, comme d'aucuns le croient, il y en a donc un nombre infini pour veiller sur nos destinées.

L.T.

Au plus profond de notre âme palpite un ardent désir de nous abandonner librement et par gratitude à un être inconnu, plus haut et plus pur, déchiffrant pour nous l'énigme de l'éternel Innommé.

GOETHE

On aime ressentir l'influence bienfaisante d'un enfant, se mettre à son école et, l'âme apaisée, l'appeler son maître avec reconnaissance.

KIERKEGAARD

La nature de l'homme, dont l'étude est si nécessaire, est un mystère impénétrable à l'homme même, quand il n'est éclairé que par la raison seule.

D'ALEMBERT

À l'ombre d'un vieux chêne
La tête sur tes genoux
J'ai fait le plus beau rêve
Habité d'anges doux.

L.T.

Nos anges gardiens, plus fiables et éclairants que tous les astrologues du monde, peuvent nous conseiller sur le meilleur chemin à emprunter pour une vie pleine et fructueuse.

C'est une hardiesse dangereuse de conséquence, outre l'absurde témérité qu'elle traîne quant à soi, de mépriser ce que nous ne concevons pas.

MONTAIGNE

Dans les rayons soyeux d'un matin radieux
J'ai ouvert grand les yeux et j'ai cru voir un ange
L'enfant dormait toujours... paix, douceur et silence.

L.T.

J'ai voulu parler aux anges, ces êtres célestes. J'y ai mis toute la sincérité dont j'étais capable, et déjà, je me sens moins seule. Leur présence m'habite.

L.T.

Chacun doit être l'aide jardinier de sa propre âme (...)

HUYSMANS

Les anges nous accompagnent où que nous soyons : à la maison, dans la voiture, les avions, les trains, au bureau, sur le chantier de construction. Partout, à tout moment, ils veillent.

L.T.

L'être sage ne cesse jamais de créer.

H. DESBOIS

Ce n'est pas la raison qui nous fournit une direction morale, c'est la sensibilité.

M. BARRÈS

Les anges sont des êtres androgynes, ils n'ont de sexe que par rapport à la perception qu'on peut en avoir, et qui peut varier d'un individu à un autre.

L.T.

Il y a des moments dans l'existence où le temps et l'étendue sont plus profonds, et le sentiment de l'existence intensément augmente.

BAUDELAIRE

Ange douceur, ange candeur
Laisse-moi suivre tes pas
Je veux aller au-delà de moi.

L.T.

Quand vient l'automne au ciel d'orage
Quand vient le froid, quand vient le gel
Mon ange réchauffe mon cœur
et me donne du courage.

L.T.

Mes sens n'ont plus de sens,
l'esprit de moi s'envole ;
Le cœur ravi se tait,
ma bouche est sans parole :
Tout meurt, l'âme s'enfuit,
et reprenant son lieu
Extatique se pâme au giron de son Dieu.

T.A. D'AUBIGNÉ

Au chevet de ma mère, effrayée par la perspective d'une trop lente agonie, j'ai aperçu un ange et j'ai compris qu'il était là pour veiller sur cette belle âme qui m'avait tant donné.

L.T.

On mourra de dégoût si l'on ne prend pas, de-ci de-là, un grand bain d'azur.

GUEZ DE BALZAC

Dieu fit du repentir la vertu des mortels.

VOLTAIRE

On dit des anges qu'ils sont les habitants de l'espace intérieur, et qu'ils sont responsables de l'organisation harmonieuse de cet univers inhabité.

L.T.

La sortie de la vie commence un peu avant la mort. On se sent couvert d'ombre.

HUGO

Car c'est enfin, Seigneur,
le meilleur témoignage
Que nous puissions donner de notre dignité,
Que cet ardent sanglot qui roule d'âge en âge
Et vient mourir au bord de Votre éternité !

BAUDELAIRE

Ange, mon ami, je ne te perçois pas avec mes yeux et mes oreilles, mais sous forme d'ondes ou de vibrations, une façon bien à toi de manifester ta présence.

L.T.

Un ange est un être intelligent dont la présence auprès de nous se manifeste par différentes vibrations. Leurs sentiments à notre égard sont réels, bien qu'ils échappent souvent à notre compréhension.

Ô bel ange d'azur, ange de l'amitié
Réconforte les âmes et les cœurs esseulés
Berce-les de douceur, de grâce et de pardon
Donne-nous cet amour qui pousse à l'abandon.

L.T.

Le beau est toujours bizarre.

BAUDELAIRE

Votre ange gardien est tout amour, et si vous prenez la peine de lui parler, il vous écoute avec compréhension et indulgence.

On dit que les anges ont la faculté de communiquer avec nous à tous les niveaux de conscience, en respectant la capacité de chaque individu.

On s'entend pour dire qu'un ange est à la fois mâle et femelle : il possède les attributs des deux sexes suivant sa propre personnalité et les besoins de l'individu qu'il protège.

Ta présence discrète, ô ange, me réconforte et me réjouit. Consciemment ou inconsciemment, je souhaite ta présence, je l'appelle de toutes mes forces à tout instant de ma vie.

L.T.

Au XVIe siècle, on appelait les crocheteurs « anges de grève », en guise de métaphore plaisante assimilant les crochets portés sur les épaules à des ailes. La grève, c'est-à-dire le bord d'un fleuve où il n'y avait pas de quai, était le lieu de travail des dockers de l'époque classique.

CF. ROBERT DES CITATIONS

De nombreuses expressions de la langue française font référence aux anges : on dira chanter, parler, danser, sourire, broder, être belle, etc., comme un ange. Quand on veut exprimer la douceur et la beauté, il n'y a pas plus universelle référence.

Vous désirez entrer en contact avec votre ange ? Ouvrez votre cœur et votre esprit aux vibrations qui vous entourent et s'infiltrent en vous subtilement.

L.T.

Ange d'amour,
Ange de bonté
Porte mes amours
Jusqu'à l'éternité.

L.T.

Voilà, dit le chevalier, un réveil assez gai, et à qui en as-tu donc, ou si c'est aux anges que tu ris ?

DE GRAMONT

Celui ou celle qui s'adresse à son ange le fait pour un plus grand bien-être personnel, bien sûr, mais surtout pour participer à un monde meilleur, ce qui est indispensable et vital.

Il existe plusieurs façons de parler aux anges, et toutes sont bonnes ; ce qui importe surtout, c'est de trouver la manière qui vous convient personnellement.

S'ils nous permettent d'évoluer, les anges évoluent eux-mêmes à notre contact, ce qui fait que ce processus est infini et infiniment stimulant.

C'est l'âme, et rien d'autre, qui nous permet de communiquer avec notre ange, lorsque, dans le silence de notre être intérieur, nous implorons l'aide divine.

L.T.

Dans une assemblée ou une réunion mondaine, si quelqu'un dit : « Un ange passe », c'est que tout le monde s'est tu en même temps. Il s'agit souvent de conjurer la gêne et le début d'angoisse que suscite le silence.

CF. ROBERT DES CITATIONS

Que nous croyions ou non aux anges, ils sont parmi nous. Et en nous adressant à eux, nous pouvons améliorer notre sort et marcher, confiants, vers un destin plus lumineux.

Le mot « ange », issu du grec angelo, signifie messager. Et dans le cas des anges, le message est limpide : amour, amour, amour.

L.T.

Le souffle de mon ange
m'a rendue légère
comme plume au vent.
Mon ange est un ange,
ça n'a rien d'étrange.

L.T.

Le contact avec l'ange est bon : bon pour le corps et l'esprit humains, bien sûr, mais aussi bon pour l'énergie qui circule dans l'univers et le cosmos.

À la mort d'Hérode, un Ange du Seigneur apparut en songe à Joseph et lui dit : « Retourne dans la terre d'Israël ; ceux qui en voulaient à la vie de l'enfant sont morts. »

NOUVEAU TESTAMENT

La mort, mystère inexplicable, dont une expérience journalière paraît n'avoir pas encore convaincu les hommes (...)

B. CONSTANT

La vie parfois se présente vulgaire; mais le sage, pour en relever l'originelle bassesse, a cette ressource de rêver.

P. ARÈNE

Une colombe s'est posée sur le rebord de ma fenêtre, silencieuse et blanche
C'était mon ange aimé, enfin dévoilé.

L.T.

« Comme un ange » peut aussi signifier le comble du calme et de la patience; tout comme on dit « sage comme une image », on dira « tranquille comme un ange ».

CF. ROBERT DES CITATIONS

L'enfant dans ses
langes rêve
Gracieux et confiant
Et sourit... aux
anges assurément.

L.T.

Je sentais autour de moi une
présence scintillante
Quand je l'ai entendu
chanter, puis chuchoter
Fascinée, abandonnée, je me
suis laissée bercer
Par l'ange de la sérénité.

L.T.

Le pinceau à la main, en panne d'inspiration
Soudainement j'ai senti une muse
m'insuffler l'idée
J'ai tout de suite su que c'était l'ange
de la créativité.

Si vous ne vous êtes pas pardonné quelque chose, comment pouvez-vous pardonner aux autres ?

D. HUERTA

Parmi les créatures angéliques, il y a, dit-on, les esprits de la nature, plus connus sous les noms de fées, sylphides, salamandres, trolls, gnomes, elfes.

On dit d'une œuvre d'art habilement réalisée qu'elle semble sortie de « la main des fées ». Et peut-être est-ce la pure vérité, puisque l'artiste se laisse inspirer par l'ange de la créativité.

On dit aussi d'une personne extrêmement douée et qui semble avoir une chance surnaturelle, que « les fées se sont penchées sur son berceau ».

CF. ROBERT

De nos jours, on dira plutôt : « Être né sous une bonne étoile », mais ça revient au même, puisque les anges, plus particulièrement les Trônes et les Chérubins, veillent sur les étoiles et les planètes.

L.T.

Jacob eut un songe : voilà qu'une échelle était plantée en terre et que son sommet atteignait le ciel et des anges de Dieu y montaient et descendaient !

LA BIBLE

À 92 ans, ma petite tante Rose est un ange : elle est habitée par des pensées angéliques, et quand on s'approche d'elle, un amour inconditionnel nous touche.

Un angelot avançait sur le bout des orteils, son petit corps diffus bondissant comme sous la poussée d'un nuage.

L.T.

Notre esprit, étant en quelque façon infini, trouve par toutes sortes de ressentiments et d'expériences que ce monde-ci n'est pas sa propre demeure.

ABBÉ MERSENNE

À la main, une fleur de septembre
À la bouche, une chanson tendre
Et pour s'envoler, les ailes d'un ange.

L.T.

Pour exprimer le plaisir sexuel, et plus particulièrement l'orgasme, on emploie l'expression « voir les anges », dans le même ordre d'idée que l'on dit « être au septième ciel », ce qui n'a aucun rapport avec le sexe des anges.

CF. ROBERT DES CITATIONS

Dans le jardin aux fleurs odorantes
J'ai senti dans mon cou comme un battement d'ailes
C'était un ange bleu, humant tous les parfums
Des belles éternelles.

L.T.

À toute heure du jour, quelle que soit l'activité à laquelle je me consacre, mon ange veille et me réconforte, lorsque le doute ou l'angoisse viennent troubler ma quiétude.

Un paysage quelconque est un état d'âme.

AMIEL

Croire aux anges n'est pas contraire à la raison, si l'on songe que ceux qui croient aux anges doivent d'abord croire aux hommes.

La foi dit bien ce que les sens ne disent pas, mais non pas le contraire de ce qu'ils voient. Elle est au-dessus, et non pas contre.

PASCAL

L'immortalité de l'âme est une éventualité qui ne laisse personne indifférent. Et pour nous éclairer à ce propos, il est bon de s'adresser aux anges.

Comment s'adresser aux anges ? Simple : en chantant, en dansant, en souriant, en s'arrêtant dans la rue pour parler aux itinérants… car les anges sont partout où il y a de la bonté.

N'avez-vous jamais entendu le murmure des anges ?
Comme l'eau de la rivière, il coule et il chante
Un murmure discret, pour qui sait entendre...

L.T.

Ô âme, pour qui rien n'existait de trop grand !

CLAUDEL

L'ange protège les enfants et veille sur les grands
C'est un pur esprit ; un cadeau des cieux
Venu nous guider sans nous aveugler.

L.T.

Dieu est aussi près de vous que vos pensées le lui permettent.

SRA DAYA MATA

Il est bon d'être lassé et fatigué par l'inutile recherche du vrai bien, afin de tendre les bras au libérateur.

PASCAL

Quand ton cœur s'ouvre
Quand ton âme s'abandonne
Tu accueilles l'ange
et tes peurs s'estompent.

L.T.

Mais que dis-je, Seigneur ?
Pardonne à mes transports ;
C'est assez que la foi montre
aux yeux de mon âme
Ce qu'un peu de blancheur
cache aux yeux de mon corps.

GOMBERVILLE

Quand je suis heureux, je pense à mon ange, et à chaque fois que je sens sa présence, je constate une intensification de mon bonheur. Son approbation m'est très chère.

L.T.

Me réveillant en sursaut au terme d'un terrible cauchemar, je me sentis aussitôt enveloppée par a[illegible]*udes qui me protégeaient. L*[illegible]*s…*

C[illegible]*de penser que la nature pa*[illegible]*main n'écoute pas.*

HUGO

Si [illegible]*er, vous vous êtes peut-être* [illegible] *avez l'impression de connaître la sensation que donnent les ailes.*

L.T.

Les anges sèment la sagesse et la confiance et nous aident à porter sur la vie un regard empreint de compréhension et de tolérance.

La beauté est un don, la douceur une vertu ; mon ange possède les deux, et sa présence me réconforte dans les moments difficiles.

L.T.

Car ce qui est infini en vous habite le château du ciel, dont la porte est la brume du matin, et dont les fenêtres sont les chants et les silences de la nuit.

K. GIBRAN

Le développement intellectuel et moral des individus ne marche pas aussi vite que le développement de leur existence matérielle.

F. GUIZOT

Je travaille auprès d'enfants naïfs et sans malice, sur qui il faut veiller sans cesse ; la tâche est immense, mais je ne suis pas seul, une ribambelle d'anges gardiens font la ronde autour d'eux, et le mien, à chaque instant, me soutient.

L.T.

J'ai souvent l'impression de n'aimer pas assez, et dans ces moments-là, je doute de moi, des autres, de la vie. Quand le doute est si fort qu'il m'empêche d'avancer, j'appelle mon ange qui m'aide à retrouver la légèreté.

Il y a des moments dans l'existence où le temps et l'étendue sont plus profonds, et le sentiment de l'existence intensément augmente.

BAUDELAIRE

L'amitié, je l'ai compris il y a longtemps, est un cadeau du Ciel. Et lorsque mes amis sont réunis chez moi, souriants et fidèles, je me sens entourée d'anges, et j'en remercie le Ciel.

L.T.

Si un homme veut être sûr de son chemin, qu'il ferme les yeux et marche dans l'obscurité.

SAINT JEAN DE LA CROIX

La générosité est une qualité du cœur qui nous fait parfois défaut, dans les moments difficiles où l'égoïsme a tendance à prendre toute la place.

Tous les jours, chaque être humain rencontre des barrières et des murs à franchir. La vie est d'une extrême exigence. Les occasions de dépassement étant multiples, il faut savoir faire appel aux anges pour nous guider.

L.T.

Quelle étrangère et commune lumière
Les peut guider à ces pieux accords ?
Mon Dieu, dis-moi, comment se peut-il faire
Que tant de raison loge en un si petit corps ?

P. PERRIN

Un mystère est une chose qui se prête au doute et au dévoilement progressif; il en va ainsi des anges qui gouvernent nos vies : il faut beaucoup de patience et de foi pour avoir enfin la certitude de leur présence.

L.T.

Comme une flamme vacillante avançant dans la nuit
J'ai vu l'ange de miséricorde flotter vers un ami
Sa voix chantante enveloppait l'espace
Et l'espoir renaissait en mon âme attendrie.

L.T.

Fais taire tes opinions, tes sentiments, tes humeurs. Efface ta personne. Alors ton guide intérieur, ne se causant plus aucun souci à lui-même, te conduira à l'essentiel qui est en toi : l'impassible nature universelle.

LUCRÈCE

Nous sommes tous les deux voisins du ciel, Madame,
Puisque vous êtes belle,
et puisque je suis vieux.

HUGO

Les anges nous aident à faire la part des choses entre ce qui est propre à être aimé, donc digne d'amour, et ce qui ne l'est pas, parce qu'indigne.

Étreinte est l'anagramme d'éternité.

MONTHERLANT

Car l'âme chemine sur tous les sentiers.
L'âme ne chemine pas sur une ligne,
ni ne croît comme un roseau.
L'âme se déplie comme un lotus
aux pétales innombrables.

K. GIBRAN

Entre le palpable et l'impalpable, entre l'univers céleste et l'univers terrestre, les anges sont la condition de la réalité de toute chose et la preuve que tout coexiste.

Pour se manifester, les anges font appel à nos sens. Vous pourriez sentir un souffle dans votre oreille; une pression sur votre épaule; un effleurement de votre main... il suffit d'être attentif pour reconnaître les signes de leur présence.

L.T.

Mon ange ira par cet ombrage ;
Le soleil, le voyant venir,
Ressentira du souvenir
L'accès de sa première rage.
(...)
Ne crains rien, Cupidon nous garde,
Mon petit ange, es-tu pas mien ?
Ah ! je vois que tu m'aimes bien :
Tu rougis quand je te regarde.

THÉOPHILE DE VIAU

Invisibles les anges ? Pas pour ceux et celles qui se donnent la peine d'ouvrir grand les yeux du cœur et de vivre leur spiritualité au jour le jour.

L.T.

Il y a des beautés froides et dures que l'on associe aux forces du mal ; et il y a des beautés suaves et douces, que l'on associe volontiers aux anges ; elles peuvent avoir les mêmes traits, mais le regard trompe rarement : c'est là que l'on peut lire la qualité de l'âme.

Les anges sont d'une fluidité remarquable, qui fait d'eux des êtres flexibles capables de nous envelopper de leur essence divine.

L'énergie des anges n'est pas physique, c'est-à-dire qu'elle ne se transmet pas à travers un corps palpable ; l'énergie angélique est métaphysique, surnaturelle.

Il y a des œuvres de génie, celle de Mozart, celle de Michel-Ange et bien d'autres, qui sont si transcendantes, qu'elles nous portent à penser qu'elles ont été inspirées, sinon carrément dictées, par les anges.

L.T.

Le bien de sentir des fleurs,
De qui l'âme et les couleurs
Charment mes esprits malades…

T. L'HERMITE

Cherche la vérité dans la méditation et non continuellement dans les livres moisis. Celui qui veut voir la lune regarde le ciel et non l'étang.

PROVERBE PERSAN

Dans le regard des enfants
Regards bleus, regards noirs,
regards pers, regards verts
Dans les yeux des enfants,
se cachent les plus beaux anges.

L.T.

Le vent qui murmurait si haut
Tient maintenant la bouche close
De peur d'éveiller en sursaut
La divinité qui repose…

T. L'HERMITE

La sagesse suprême, c'est d'avoir des rêves assez grands pour ne pas les perdre du regard tandis qu'on les poursuit.

FAULKNER

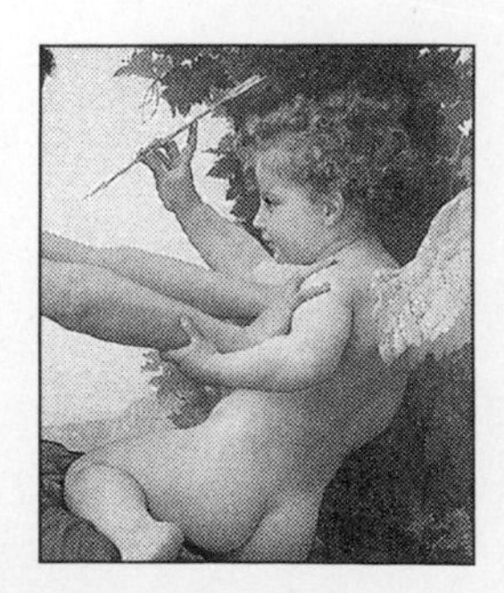

Éveillez-vous d'abord par vous-même, ensuite cherchez un maître.

PROVERBE CHAN

Ô mon ange, qui me connais mieux que quiconque
Intercède pour moi auprès de l'Éternel
Sois mon protecteur, mon guide et mon espoir.

L.T.

Si l'on se réfère à tous les écrits anciens des grandes religions, on comprend que les anges sont les maîtres de l'espace et du temps et que la marche de l'univers dépend d'eux.

À la fin de sa retraite de 40 jours dans le désert, Jésus, ayant résisté à toutes les tentations de Satan, est entouré d'anges venus pour le servir.

NOUVEAU TESTAMENT

Les anges sont le lien indispensable qui comble la distance entre Dieu et les créatures terrestres ; ils sont nos intermédiaires auprès du Très Haut.

L.T.

Les anges s'affirment comme les agents de la volonté divine, dont ils préservent la transcendance, et comme les interprètes des visions des prophètes.

PHILIPPE FAURE

Les anges gardiens sont nos représentants ; ils intercèdent pour nous auprès de l'Éternel et plaident la cause des hommes, car cela fait partie de leur mission.

L.T.

De tous temps, les Juifs ont cru à une certaine magie émanant du nom des anges, qui, selon la superstition, leur confère l'énergie spirituelle et la connaissance.

Pour faire d'un homme un saint, il faut bien que ce soit la grâce, et qui en doute ne sait ce que c'est que saint et qu'homme.

PASCAL

L'homme n'est pas digne de Dieu, mais il n'est pas incapable d'en être rendu digne.
Il est indigne de Dieu de se joindre à l'homme misérable ; mais il n'est pas indigne de Dieu de le tirer de sa misère.

PASCAL

Certains affirment que l'existence des anges, leur présence auprès des hommes, est la preuve irréfutable de la proximité du Royaume de Dieu.

Amoureux, ce que l'on désire le plus au monde, c'est de le rester. C'est la même chose avec les anges, ceux qui les ont une seule fois côtoyés désirent par-dessus tout continuer à communiquer avec eux, parce qu'ils sont tout amour.

L.T.

Il est parfois difficile de surmonter sa colère, lorsque l'injustice et la haine prennent le haut du pavé. Dans ces moments de désarroi face à la bêtise humaine, il est bon de pouvoir se tourner vers ces êtres de bonté, envoyés pour nous réconforter.

L.T.

Il est vrai que la faim, et la peste, et la guerre
Sont des coups furieux,
Mais Dieu par ce moyen ne dépeuple la terre
Que pour peupler les cieux.

DE MARBREUF

La mort n'a rien d'affreux, elle est toute paisible;
Ceux que sa flèche atteint
N'ont jamais rapporté qu'elle fût si terrible
Que la peur la dépeint.

DE MARBREUF

Nous sommes tissés de l'étoffe dont sont faits nos rêves.

SHAKESPEARE

Les étoiles sont dans le ciel pour rappeler aux mortels l'objectif vers lequel ils doivent tendre.

PROVERBE CHINOIS

Sortons de ces erreurs par un sage conseil ;
Et cessant d'embrasser les images d'un songe,
Pensons à nous coucher pour le dernier sommeil.

T. L'HERMITE

Si l'ordre cosmique reflète l'ordre céleste, alors il va de soi que l'univers des anges se déploie parallèlement au nôtre, mais à un niveau plus élevé de spiritualité.

L'esprit du sage est le miroir du ciel et de la terre, dans lequel toutes les choses se réfléchissent.

TCHOUANG-TSEU

Si les anges prennent parfois l'apparence humaine, la lumière surnaturelle qui les enveloppe les transfigure au point qu'il est difficile, pour un humain, de les regarder en face.

S'efforcer de trouver une interprétation claire, c'est retarder l'accomplissement du but.

MUMON

Si la sexualité est partout, l'amour est rare. Tout en acceptant que l'amour et le couple soient simplement humains, on peut se tourner vers les anges pour atteindre l'absolu dans l'amour.

L.T.

Chacun de nous vit quelque chose — une promesse, une connaissance essentielle, une mission — qui dépasse aussi l'horizon de l'homme ordinaire : c'est le maître intérieur.

DÜRCKHEIM

Un doigt pointe vers la lune. Tant pis pour celui qui ne voit que le doigt.

VIEIL ADAGE

Ne croyez pas les individus,
fiez-vous aux enseignements ;
Ne croyez pas les mots,
fiez-vous au sens ;
Ne croyez pas le sens relatif,
fiez-vous au sens ultime,
Ne croyez pas l'intellect,
fiez-vous à la Sagesse.

BOUDDHA

Le royaume des cieux est un état du cœur.

NIETZSCHE

Les natures angéliques comprennent que ce sont les grandes âmes, douées de générosité et capables de respect, et non les plus beaux et les mieux faits, qui offrent l'amour vrai et sincère.

L.T.

Qu'ils sont beaux, qu'ils sont grands
Qu'ils sont majestueux ces anges de lumière
Venus m'accompagner au terme d'un long voyage.

L.T.

Pendant que tu recherches les fautes de ton prochain, comment te réjouiras-tu de la beauté du monde invisible ?

FARID AL-DÎN ATTAR

J'ai appelé mon père, il nous avait quittés
J'ai appelé la passion, mais elle s'était fanée
J'ai appelé mon ange, j'ai trouvé l'éternité.

L.T.

Si beau que soit l'ostensoir, ce n'est qu'au moment où on ferme les yeux qu'on sent passer Dieu.

PROUST

La beauté est l'éternité se contemplant dans un miroir. Mais vous êtes éternité et vous êtes le miroir.

K. GIBRAN

Quand je traverse une période difficile ; quand les temps s'annoncent sombres et les obstacles impossibles à franchir, je me tourne tout naturellement vers mon bon ange, qui me redonne courage et légèreté.

La musique est peut-être l'exemple unique de ce qu'aurait pu être — s'il n'y avait pas eu l'invention du langage, la formation des mots, l'analyse des idées — la communication des âmes.

PROUST

Si l'on se fie aux Écritures, les anges auraient été créés bien avant les astres et l'humanité. Ces êtres spirituels auraient été là bien avant nous, ce qui fait que les anges ne sont pas des morts venus veiller sur nous, comme certains le croient.

L.T.

L'inspiration me vient en pensant aux archanges
Qui tracent les destins de milliers d'êtres humains
L'inspiration me vient quand j'invoque les anges
Et quand je pense à toi, qui as croisé mon chemin.

L.T.

Pour faire appel aux anges, il suffit d'un peu d'humilité et de foi. Les personnes qui s'avouent ne pas tout contrôler et tout réaliser toutes seules, communiquent plus facilement avec les anges.

On ne reçoit pas la sagesse, il faut la découvrir soi-même, après un trajet que personne ne peut faire pour nous, ne peut nous épargner.

PROUST

Archange Ariel,
lion parmi les lions
Prince des rivières
et des mers
Chasse pour nous les
démons de la pollution.

Un ange est une source inépuisable d'énergie pure, et même sans l'identifier pour tel, il nous guide et nous habite dans les moments les plus marquants de notre vie.

Si nos anges se manifestent spontanément, à des moments très précis de notre vie, il faut parfois les invoquer pour bénéficier de leur bienveillance.

Soyez attentifs, car les anges peuvent apparaître sous différentes formes, selon le moment et les circonstances : parfois faisceau lumineux, parfois lumière vacillante, ils peuvent aussi emprunter les traits d'un vieillard ou d'un enfant, d'un ami ou d'un inconnu.

L.T.

Et puisque vous êtes un souffle dans la sphère de Dieu et une feuille dans la forêt de Dieu, vous aussi devez reposer dans la raison et vous mouvoir dans la passion.

K. GIBRAN

Pour entrer en contact avec les anges, il faut faire confiance à notre capacité vibratoire. Mais ils se manifestent souvent d'eux-mêmes, au moment où nous traversons des périodes troubles et que nous souhaitons vivre mieux.

Attention : nous pouvons tenter de contacter nos anges, mais nous ne pouvons pas leur dicter quoi faire, ni les inciter à agir selon notre volonté. Contentez-vous de demander leur protection.

Du beau feu de l'amour brûler avec les Anges,
Avoir le front orné d'immortelle splendeur,
Du monarque infini contempler la grandeur,
D'un hymne glorieux célébrer ses louanges…

A. D'ANDILLY

Sous un saule pleureur,
au jardin botanique
J'ai entendu les anges qui
chantaient des cantiques
À la gloire des cieux qui
veillent sur les fleurs
Pour le plaisir des yeux.

L.T.

Qui veut détruire les passions, au lieu de les régler, veut faire l'ange.

VOLTAIRE

À la naissance de Clara, en pleine nuit, une lumière ineffable inonda la chambre. Épuisée mais ravie, sa maman comprit que Clara n'était pas seule, que son bon ange était là pour lui faciliter son entrée en ce monde.

Les anges nous aident à reconnaître le bonheur dans les petites choses de la vie. Leur simplicité et leur douceur nous mettent sur la piste de la vérité de toutes choses.

Votre ange est là pour vous, mais vous pouvez aussi en faire profiter les gens que vous aimez. N'hésitez pas à demander à votre bon ange de veiller sur vos enfants, vos parents, vos amis, lorsqu'ils sont dans le besoin.

L.T.

On ne peut être illuminé en imaginant des êtres de lumière. La voie vers l'illumination consiste à revenir en arrière et à retraverser l'obscurité.

JUNG

Car j'avais vu des anges (dit Jacob), et ils m'avaient enseigné; j'avais aussi entendu la voix du Seigneur qui m'avait, de temps en temps, parlé de sa propre voix....

CF. LE LIVRE DE MORMON

Pierrot était un petit garçon solitaire et silencieux. Au parc, il aimait jouer seul dans le carré de sable, et s'éloignait aussitôt qu'un autre enfant approchait. « Je ne suis pas seul, dit-il à sa nounou qui voulait qu'il se fasse des amis, je suis avec mon ange. »

L.T.

Ô Uriel, ange de feu, ange de lumière, aide-moi à atteindre la clarté et l'illumination, en ce jour et pour les jours à venir.

Lorsque vous sentez que vous stagnez dans votre évolution spirituelle, adressez-vous à l'archange Michaël pour qu'il vous aide à continuer à avancer dans la sagesse et la grâce.

Je me demande parfois, quand je ressens une soudain affection pour un être humain que je connais à peine, si ce n'est pas l'ange, en lui, qui m'inspire une telle émotion.

L.T.

Lorsque vous vous arrêtez pour méditer, prenez soin de convoquer auprès de vous les anges divins, pour qu'ils vous accompagnent dans votre voyage vers votre moi supérieur.

À chaque fois que je vois un arc-en-ciel, riche de toutes les couleurs du prisme et de toutes les nuances, je ne peux m'empêcher de penser aux anges, auxquels on associe la même beauté, la même luminosité et la même légèreté.

L.T.

...uand je le sens qui
... de gratitude
...iprends que la
...i puisse exister.

L.T.

...arté profonde,

J. CHAPELAIN

...t de ses rayons quand
...e d'amour. Éblouie par
...ns la chaleur de ce mer-
...pris que les anges étaient

L.T.

...z trop mal,
... moralement,
... vers l'ange
...ivin guérisseur,
...s aide à surmon-
...icultés qui vous
... et vous empêchent
...

qui ont eu la
...rcevoir des
...oir ressenti un
...ne tendresse
...e et un bien-
...e.

...der s'il n'y
...us poussait
... d'autres,
...?

...e mettre
...nnaître :
...dans la
...enfant,
...la rue

L.T.

...ité à
... ont
...lu-

...VE

Les personnes
chance d'ap
anges disent av
amour infini, u
incommensurabl
être incomparabl

Vous est-il déjà arrivé de vous deman
avait pas une force surnaturelle qui vo
à poser certains gestes plutôt que
lorsque vous vous fiez à votre intuition

Mon ange est si discret, il tient si peu à s
en valeur, qu'il m'arrive de ne pas le recon
il se manifeste pourtant à tout moment,
douceur d'une voix, dans le regard d'un
dans la main qui m'empêche de traverser
lorsqu'il y a du danger.

Dans l'amour de Dieu, qui a aussi sa sensual
craindre et son ivresse, les plus grands saints
bien éprouvé eux-mêmes leurs sécheresses s
taires.

SAINTE-BEU

Quand le mystérieux Raziel écrivit la grande histoire où étaient révélées les mille cinq cents clés des mystères de ce monde, les plus envieux des anges s'emparèrent du livre divin pour le jeter à la mer. Raziel se rendit alors sur le mont Horeb pour y divulguer les secrets des hommes à toute l'humanité.

CF. DES ANGES ET DES HOMMES

Pour vaincre votre peur de vivre, votre peur d'aimer et d'être aimé, adresse-vous à Gabriel, l'ange de la force divine, pour qu'il vous aide à vous dépasser et à surmonter vos craintes et vos faiblesses.

Pour que l'amour toujours vous accompagne
Faites une grande place à l'intérieur
Pour y accueillir l'ange du bonheur.

L.T.

Les yeux sont les fenêtres de l'âme par où entrent et sortent les traits !

SAINTE-BEUVE

Ô ange Raphaël, dont le nom signifie guérison, soulage le monde et toutes les créatures des terribles épreuves que nous leur infligeons par ignorance ou possession.

Ce n'est pas l'esprit qui est dans le corps, c'est l'esprit qui contient le corps, et qui l'enveloppe tout entier.

CLAUDEL

La première chose dont je me souviens, écrit Joseph Smith, c'est d'une voix qui me parlait et m'appelait par mon nom. Je levai les yeux et vis le même messager (l'ange Moroni), debout au-dessus de ma tête, entouré de lumière…

CF. LE LIVRE DE MORMON

Ange Melchisédech, grand sage et roi de Salem, qui pris apparence humaine pour enseigner la force de la foi et la rédemption, dirige ta lumière, comme tu le fis jadis, sur ce monde en désarroi où règnent la violence et le chaos.

Et qu'est-ce qui nous empêche de croire, comme certains l'affirment, que nous avons plus d'un ange ? Ils sont des dizaines, des centaines et des milliers à veiller sur nous tous et à se relayer au besoin. Il suffit, dit-on, de les laisser venir à nous.

Secourez-nous, belle âme, devant Dieu ; demandez-lui pour nous la force que nous vous avons communiquée peut-être, mais, hélas ! sans l'avoir assez en nous-même ; et, puisqu'il faut à l'infirmité mortelle, pour marcher constamment vers les sentiers sûrs, un signal, un appel, un souvenir, Âme chaste et chère, intercédez près du Maître pour que vous nous soyez ce souvenir d'au-delà, cette croix apparente aux angles des chemins, pour que vous soyez de préférence l'esprit d'avertissement et l'ange qu'il nous envoie !

SAINTE-BEUVE

À la surface d'un lac immobile, en ce matin lumineux de mai, j'ai vu un ange léger patiner, ses ailes déployées.

L.T.

Souvent il est plus facile de vivre avec tout le monde extérieur qu'avec ce peuple intérieur que nous portons en nous-mêmes.

P. NICOLE

Ô toi, invisible messager
Toi qui veilles sur mes enfants,
mes frères et mes amours
Couvre-les de tes ailes,
aide-les à surmonter les difficultés.

L.T.

La sphère était blanche et d'une luminosité extraordinaire, j'ai marché dans sa direction, et je me suis retrouvé dans un espace enchanteur où tout baignait dans l'amour infini de Dieu.

TÉMOIGNAGE

Ils étaient trois, trois blanches figures lumineuses et tranquilles, tournoyant au-dessus de nos têtes, tandis que nous dérivions sur la rivière déchaînée, calmes, confiants, ignorants du danger.

TÉMOIGNAGE

L'amour, c'est l'espace et le temps rendus sensibles au cœur.

PROUST

Chante pour nous, ange Israfel
Chante la grandeur du ciel et de la création
Que ta voix magnifique apaise nos passions.

Le vent soufflait très fort ce jour-là, et Macha était pressée de rentrer chez elle avant l'orage, quand survint une lumière tourbillonnante qui la força à ralentir le pas. Levant la tête pour voir ce qui se passait, elle aperçut, incrédule, un ange qui lui souriait.

TÉMOIGNAGE

Je ne l'ai pas vu, j'ai simplement senti sa main se poser sur mon épaule au moment où j'allais me jeter dans le vide. J'ai tout de suite compris que je n'étais pas seul et que ma vie était précieuse.

TÉMOIGNAGE

Pour les chrétiens, Gabriel est l'ange de la force divine, celui à qui Dieu a confié les plus importantes missions sur la terre, comme l'annonce faite à Marie.

Je sortais d'une passion torride et malsaine, et je sombrais dans la dépression, quand l'ange s'est manifesté. Dès que j'ai vu le halo de lumière qui se dégageait de lui, je me suis senti apaisé, réconforté. Après sa visite, le ressentiment et l'amertume m'avaient quitté.

TÉMOIGNAGE

Dans la légende juive, c'est l'archange Gabriel qui a ordonné aux eaux de la mer Rouge de se séparer, pour que les Hébreux puissent échapper aux soldats du pharaon.

Les disciples de l'Islam considèrent l'ange Gabriel comme l'esprit de la vérité, et selon la croyance, c'est lui qui aurait dicté le Coran au prophète.

Joseph Smith, l'auteur du Livre de Mormon, raconte l'apparition de l'ange Moroni : « Il m'appela par mon nom et me dit qu'il était un messager envoyé d'auprès de Dieu vers moi et que son nom était Moroni ; que Dieu avait une œuvre à me faire accomplir... »

CF. LE LIVRE DE MORMON

La qualité du contact que nous pouvons avoir avec les anges dépend en grande partie du niveau spirituel de chacun. Il faut en effet une certaine disponibilité de l'esprit pour percevoir la présence d'une entité spirituelle.

L.T.

Une grande âme est au-dessus de l'injure, de l'injustice, de la douleur, de la moquerie ; et elle serait invulnérable si elle ne souffrait par la compassion.

LA BRUYÈRE

Nul, sans ailes, n'a le pouvoir de saisir ce qui est proche.

HÖLDERLIN

Les moins tendues et plus naturelles allures de notre âme sont les plus belles.

MONTAIGNE

Merci la vie, de m'envoyer un ange
Merci pour la douceur, merci pour la chaleur
Merci pour la lumière du jour et le goût des oranges
Merci la vie, merci, je suis aux anges…

Un certain Monroe, après avoir fait l'expérience d'une rencontre avec une entité, affirme que « notre ange est la part de nous qui conserve la mémoire de nos vies antérieures »; ainsi, « la rencontre de l'ange serait une rencontre avec soi », dit-il.

TÉMOIGNAGE

Et si l'on parlait du charme des anges?
Et si l'on parlait de cette liberté qui émane d'eux
Cette liberté qu'ils nous donnent,
d'être simplement heureux.

L.T.

J'ai un ange et j'en suis ravie
Je ne suis plus seule les dimanches,
ni les lundis, ni les jeudis
Je ne serai plus jamais seule,
c'est pour ça que je vous souris.

La sagesse veut qu'en certaines rencontres on donne beaucoup au hasard ; la raison elle-même conseille alors de suivre je ne sais quels mouvements ou instincts aveugles au-dessus de la raison, et qui semblent venir du Ciel.

LOUIS XIV

La première fois que j'ai laissé mon bébé à une gardienne, il avait trois mois. En me voyant revenir le soir, après une longue journée d'absence, ses yeux s'illuminèrent et il partit d'un grand rire irrépressible… L'ange de la vie passait par là.

L.T.

La mort n'est que pour les médiocres.

JARRY

Dieu est le plus court chemin de zéro à l'infini, dans un sens ou dans l'autre.

JARRY

Au milieu de mes peurs, il s'est manifesté
J'ai senti sa chaleur, sa gloire et sa bonté
Me pénétrer jusqu'au cœur, et pour l'éternité.

L.T.

La plus subtile folie se fait de la plus subtile sagesse.

MONTAIGNE

Ce n'est pas avec la raison, et c'est le plus souvent contre elle, que s'édifient les croyances capables d'ébranler le monde.

G. LE BON

Vivre en état de grâce, c'est vivre accompagné
Il suffit d'y croire, il suffit d'espérer
La solitude n'existe pas, les anges sont toujours là
Pour celui qui y croit.

Élisabeth Kübler-Ross, une sommité dans l'accompagnement des mourants, affirme que les anges sont bien réels, et, que l'on en soit conscient ou pas, ils sont là près de nous à tout moment.

CF. ENQUÊTE SUR L'EXISTENCE DES ANGES GARDIENS

Il y eut un matin, un soir et une nuit
Il y a la beauté des fleurs dans mon jardin
Et la présence de l'ange dans le creux de ma main.

L.T.

Le silence éternel de ces espaces infinis m'effraie.

PASCAL

La dernière marche d'un escalier qu'on gravit est toujours plus haute que les autres.

P. MASSON

Vous voulez vous aimer : aimez-vous donc dans les autres ; car votre vie est dans les autres, et sans les autres votre vie n'est rien.

P. LEROUX

« Voici mon ange », dit le petit garçon à sa mère venue le chercher au parc. La mère, amusée, ne voit pas l'ange de son enfant à qui elle tend la main droite ; mais aussitôt elle sent un frisson parcourir sa main gauche, et devant son petit garçon ravi, elle dit : « Bonjour l'ange, tu viens à la maison ? »

L.T.

Mon âme a plus de capacité pour le plaisir que pour la douleur.

DE BIRAN

Je sens bien que je ne suis pas seule
Je vois la vie comme une éternité
Tant qu'il y aura les oiseaux et les papillons
Tant que dans la moindre fleur
les anges se manifesteront
Je ne serai jamais seule,
car le doute m'a quittée.

L.T.

Il s'enlève en fouettant l'âpre neige des Andes,
Dans un cri rauque, il monte où n'atteint pas le vent,
Et loin du globe noir, loin de l'astre vivant,
Il dort dans l'air glacé, les ailes toutes grandes.

DE LISLE

La vie serait étrange s'il n'y avait pas d'anges
Mais ils sont des milliers sur nos routes
Ils sont à plaindre, ceux qui en doutent.

C'est aux chrétiens une occasion de croire, que de rencontrer une chose incroyable.

MONTAIGNE

Les rêves sont ce qu'il y a de plus doux et peut-être de plus vrai dans la vie.

C. NODIER

La distance infinie des corps aux esprits figure la distance infiniment plus infinie des esprits à la charité, car elle est surnaturelle.

PASCAL

La révolte gronde quand on se dit qu'il n'y a pas de justice. Et pourtant, il y a des justes… me dit mon ange, qui lit dans mes pensées et me rassure par sa grande sagesse.

L.T.

Je ne m'y attendais pas, bien sûr, quand soudain j'ai senti comme un frémissement. Au même moment, j'ai aperçu une ombre claire dans la pièce où j'étais pourtant seule, puis une 'voix' qui venait d'ailleurs me dit : « N'aie pas peur, je suis ton guide, je t'aime. » Et la « voix » souriait.

TÉMOIGNAGE

N'ayez pas peur de faire appel à votre ange, car ceux-ci, dit-on, dégagent un amour infini et savent vous réconforter et vous rassurer par leur seule présence.

L.T.

Toute âme est une mélodie, qu'il s'agit de renouer.

MALLARMÉ

Le principal usage que nous faisons de notre amour de la vérité est de nous persuader que ce que nous aimons est vrai.

P. NICOLE

Nous naissons, nous vivons, nous mourons au milieu du merveilleux.

NAPOLÉON 1er

La sincérité est un perpétuel effort pour créer son âme telle qu'elle est.

J. RIVIÈRE

Tout souffle, tout rayon ou propice ou fatal,
Fait reluire et vibrer mon âme de cristal,
Mon âme aux mille voix, que le Dieu que j'adore
Mit au centre de tout comme un écho sonore !

HUGO

Et toutes les âmes intérieures des poètes sont amies et s'appellent les unes les autres.

PROUST

Quand le rayon de lune s'est posé sur la dernière fleur qui pointait sous la première neige, j'ai entendu un ange me souffler : « Espère ».

L.T.

L'espérance est un acte de foi.

PROUST

Le ciel, ô mon aimé, vers moi t'a envoyé
Si tu n'es pas mon ange, tu es son messager
Et je te chérirai jusqu'à l'éternité.

L.T.

La mort est le commencement de l'immortalité.

ROBESPIERRE

J'ai peine à croire qu'en perdant ceux qu'on aime on conserve son âme entière.

G. SAND

Il n'est rien de plus précieux que le temps, puisque c'est le prix de l'éternité.

L. BOURDALOUE

C'est chose notoire que l'homme ne parvient jamais à la pure connaissance de soi-même jusqu'à ce qu'il ait contemplé la face de Dieu, et que, du regard de celle-ci, il descende à regarder soi.

J. CALVIN

Mon âme, comme une étincelle de vie transcendante, communique avec mon ange qui lui insuffle espoir et réconfort.

L.T.

Qu'aimable est la vertu que la grâce environne !

CHÉNIER

On dirait que l'âme des justes donne, comme les fleurs, plus de parfums vers le soir.

MADAME DE STAËL

Comme l'amour lorsqu'il est pur
La compassion est une vertu
que pratiquent les anges.

L.T.

Non, je ne veux rien voir en vous de ce que la mort y efface : vous aurez dans cette image des traits immortels ; je vous y verrai tel que vous étiez à ce dernier jour sous la main de Dieu, lorsque sa gloire sembla commencer à vous apparaître.

BOSSUET

Les parfums, les couleurs et les sons se répondent.

BAUDELAIRE

Il ne faut pas comprendre (...)
Il faut perdre connaissance.

CLAUDEL

Vous avez vu un ange, et il vous a parlé ; oui, vous avez entendu sa voix de temps en temps ; et il vous a parlé d'une petite voix douce, mais vous aviez perdu le sentiment, de sorte que vous ne pouviez pas sentir ses paroles...

CF. LE LIVRE DE MORMON

Ange d'amour, ange de bonté,
Porte mes amours à leur éternité.

L.T.

Doutons même du doute.

A. FRANCE

L'art de peindre n'est que l'art d'exprimer l'invisible par le visible.

FROMENTIN

Votre ange est amour, foi et espérance
Partout où il passe, il apaise souffrance,
angoisse et remords
Votre ange est amour, gardez espérance.

L.T.

Quand les anges laissent tomber sur nos cœurs les étincelles de leur amour inconditionnel, nous nageons enfin dans l'allégresse et la joie.

La conscience de l'homme c'est la pensée de Dieu.

HUGO

Le style n'est que le mouvement de l'âme.

MICHELET

Le bonheur est salutaire pour le corps, mais c'est le chagrin qui développe les forces de l'esprit.

PROUST

Avec ce regard angélique
Nul n'y peut résister
Gabriel l'ange magnifique
Est amour et félicité.

L. T.

Dieu bénit l'homme, non pour avoir trouvé, mais pour avoir cherché.

HUGO

Les Anges dans nos campagnes
Ont entonné l'hymne des cieux
Et l'écho de nos montagnes
Redit ce chant mélodieux
Gloria in excelsis Deo,
Gloria in excelsis Deo.

Bergers pour qui cette fête ?
Quel est l'objet de tous ces chants ?
Quel vainqueur, quel prophète
Mérite ces cris triomphants
Gloria in excelsis Deo,
Gloria in excelsis Deo.

Ah ! ces merveilleux cantiques de Noël… comme ils sont beaux, et comme ils réussissent, à chaque fois, à faire monter en nous l'émotion, en nous replongeant dans l'enfance et le recueillement.

L. T.

Une belle âme ne va guère avec un goût faux.

DIDEROT

J'ai souvent joué avec l'homme, dit Dieu. Mais quel jeu, c'est un jeu dont je tremble encore.

C. PÉGUY

Selon les témoignages, les anges, même lorsqu'ils ont l'apparence d'hommes grands et puissants, ont un « aspect féminin ». Mais la plupart n'ont apparemment pas de genre défini.

Certains prétendent que nous sommes les jouets de Dieu ; qu'Il s'amuse, à travers les anges qu'Il nous envoie, à montrer l'étendue de sa puissance et de son amour…

Ô mon âme, tu es capable de Dieu, malheur à toi si tu te contentes de moins que de Dieu !

SAINT FRANÇOIS
DE SALES

Je sais que si je le veux, je verrai mon ange ; je le contemplerai de mes propres yeux ; je le verrai comme il me voit.

L.T.

La moindre chose contient un peu d'inconnu. Trouvons-le.

MAUPASSANT

Mon bel ange va dormir
Dans son nid l'oiseau va se blottir…

BERCEUSE

L'expression « discuter du sexe des anges » signifie se livrer à des discussions byzantines, ou encore, couper les cheveux en quatre.

Le riche n'est pas celui qui possède beaucoup, mais celui qui donne beaucoup.

E. FROMM

La vie nous apprend que tout ce qui vaut vraiment la peine d'être fait est ce que nous faisons au service d'autrui.

L. CARROLL

Ange de paix, ange d'amour
Fais que les guerres et les conflits
Qui affligent notre terre
Mènent à plus de sagesse, de paix et de tolérance.

L.T.

Tout ce dont on a besoin pour ressentir que le bonheur se trouve ici et maintenant, c'est d'un cœur simple.

N. KAZANTZAKIS

Et si vous pouviez garder votre cœur en émerveillement devant les miracles quotidiens de votre vie, votre douleur ne vous semblerait pas moins merveilleuse que votre joie.

K. GIBRAN

La chair est triste, hélas ! et j'ai lu tous les livres.
Fuir ! là-bas fuir ! Je sens que des oiseaux sont ivres
D'être parmi l'écume inconnue et les cieux !

MALLARMÉ

À l'école primaire, j'ai été choisie pour personnifier un ange autour de la crèche de Noël. Oh ! la fierté de porter ces petites ailes blanches. Oui, je peux bien le dire maintenant, je volais littéralement !

L. T.

Quand vous créez un monde tolérable pour vous-même, vous créez un monde tolérable pour les autres.

ANAÏS NIN

Tout souffle, tout rayon ou propice ou fatal. Fait reluire et vibrer mon âme de cristal. Mon âme aux mille voix, que le Dieu que j'adore mit au centre de tout comme un écho sonore !

HUGO

Tante Rose avait toujours souhaité
mourir dans son lit
Croyante, elle en avait parlé aux anges
Qui étaient là, ce soir-là, parmi ses enfants
Invisibles, mais apaisants.

L.T.

Un Ange du Seigneur apparut à Joseph, en songe, et lui dit : « Fuis en Égypte, et demeure là jusqu'à ce que je t'avertisse. Hérode va rechercher l'enfant pour le faire mourir. »

NOUVEAU TESTAMENT

Tant que les gens ont un corps, on ne se soucie guère de leur âme.

ANONYME

Un jour ma grand-mère m'a dit : « Il faut assumer l'ange que tu portes en toi. » J'avais seulement onze ans et je ne comprenais pas bien ce qu'elle voulait dire. Je cherche encore la signification de cette phrase énigmatique, et j'espère l'avoir trouvée avant ma mort.

L. T.

Nous ne voulons pas de richesses. Nous voulons la paix et l'amour.

SAGESSE INDIENNE

À son réveil, Joseph fit ce que l'Ange lui avait commandé: il prit chez lui son épouse, et il ne la connut pas jusqu'au jour où elle eut enfanté son fils, à qui il donna le nom de Jésus.

NOUVEAU TESTAMENT

La femme nous remet en communication avec l'éternelle source où Dieu se mire.

RENAN

Il y a certains défauts qui marquent plus une bonne âme que certaines vertus.

DE RETZ

Un Ange du Seigneur lui apparut en songe et lui dit : « Joseph, ne crains pas de prendre chez toi Marie, car ce qui est conçu en elle est l'œuvre du Saint-Esprit. Elle enfantera un fils que tu appelleras Jésus (...) »

NOUVEAU TESTAMENT

Lorsque, dans une conversation animée, se produit un silence gêné et prolongé, on dit, autant que possible en chuchotant : « Un ange passe. »

L'amour, c'est de l'oxygène. L'amour inspire toutes les beautés du monde.

Objets inanimés,
avez-vous donc une âme
Qui s'attache à notre âme
et la force d'aimer ?

LAMARTINE

Je tiens mon âme en paix et en silence, comme un enfant contre sa mère.

LA BIBLE

Un chœur de voix célestes répétait Gloria
Le Ciel était en liesse et tout n'était que joie
Car l'univers entier chantait Alléluia.

L.T.

Soyez calme dans la tempête.

H. DESBOIS

Quand on dit d'une personne qu'elle « travaille comme un Ange », c'est qu'elle fait les choses à la perfection.

Dans mes plus beaux rêves, ceux où je vole, je n'ai pas d'ailes, mais une capacité de concentration telle qu'elle me permet de m'élever au-dessus de la mêlée.

Les moins tendues et plus naturelles allures de notre âme sont les plus belles.

MONTAIGNE

J'aime à penser que les anges sont là où je les y attends : dans le reflet de la lumière sur le frisson du lac, à l'heure où le soleil se couche ; dans la chute qui tombe en cascades sur le rocher que les ans ont érodé ; dans tes yeux d'un bleu profond, où je me perds parfois...

L.T.

Charles Péguy, écrivain humaniste français mort au front en 1914, suspect à l'Église dont il dénonçait le conservatisme, disait posséder un Ange gardien très coquin. « Il est plus malin que moi... il a des trucs incroyables... », affirmait-il.

Les biens de la terre ne font que creuser l'âme et en augmenter le vide.

CHATEAUBRIAND

Sur son lit de mort, l'homme songe plutôt à élever son âme vers Dieu que des lapins.

COMMERSON

J'assiste à ma mort avec les forces entières de ma vie.

DE BIRAN

Et le sixième Ange sonna... (...) Et l'on déchaîna les quatre Anges qui se tenaient prêts pour l'heure et le jour et le mois et l'année, afin d'exterminer le tiers des hommes.

LA BIBLE

... Hélas ! pour éviter ma flamme
Tes cris ont pénétré les cieux.
Un Dieu n'a pu fléchir ton âme,
Et ta voix a fléchi les Dieux...

SAINT-SORLIN

L'ange est comme l'arc-en-ciel
Impalpable et diaphane
Il existe bel et bien,
Mais on ne le voit pas toujours.

L.T.

Les anges demeurés fidèles à Dieu ont pour mission d'accueillir les âmes dans l'au-delà et de leur assigner une place dans la hiérarchie céleste.

Les plus grandes âmes sont capables des plus grands vices aussi bien que des plus grandes vertus.

DESCARTES

Satan, Lucifer, l'ange déchu, chef des anges rebelles, représente la mort de l'âme, l'absence de vie spirituelle. Rejeté, en exil sur terre, il demeure immortel et cherche à conquérir le monde en le détruisant.

On a beaucoup parlé du sens de l'humour parfois paradoxal des anges, lorsqu'ils s'adressent par télépathie à leurs protégés. Beaucoup se moquent gentiment du scepticisme et de l'incrédulité des humains.

Tous les jours vont à la mort,
le dernier y arrive.

MONTAIGNE

Je comprends très bien, dit Dieu, qu'on fasse son examen de conscience. C'est un excellent exercice. Il ne faut pas en abuser.

PÉGUY

L'Ange de Yahvé se manifesta à (Moïse) sous la forme d'une flamme de feu jaillissant du milieu d'un buisson. (...) Moïse alors se voila la face, dans la crainte que son regard ne se fixât sur Dieu.

LA BIBLE

On appelle « théophanie » l'apparition d'une divinité et les manifestations du Dieu unique dans la Bible; alors que l'« angélophanie » est une apparition à caractère angélique, généralement accompagnée d'une lumière éblouissante.

De toutes les figures historiques, Jeanne d'Arc est certes la plus étonnante. Petite paysanne guidée par « ses voix », elle a su convaincre le roi et l'armée qu'elle était investie d'une mission divine.

Celle qu'on appela « la pucelle d'Orléans » parlait de « ses voix », et sa ferveur était si communicative, qu'elle couronna le roi, malgré sa jeunesse, sa féminité, et son ignorance totale de la politique.

Dans les mythes et dans les rêves, le vol exprime un désir de sublimation, de recherche d'une harmonie intérieure, d'un dépassement des conflits.

CF. DICTIONNAIRE DES SYMBOLES, SEGHERS

C'est la nuit qu'il est beau de croire à la lumière.

E. ROSTAND

Les anges ont toujours inspiré les artistes, et tout particulièrement les peintres, qui ont trouvé en ces êtres mystérieux, représentants de Dieu auprès des hommes, une source d'inspiration inépuisable.

Promenez-vous dans les musées et voyez les multiples représentations d'anges qui s'y trouvent. Les sculptures de bronze où se déploient des ailes majestueuses sont particulièrement impressionnantes.

Promenez-vous aussi dans les cimetières. Vous y verrez, sur les tombes et les épitaphes, de nombreuses figures d'anges. C'est dire à quel point l'ange est important dans toutes les cultures et religions.

On peut se demander qui, de Dieu ou des hommes, a inventé les anges. Car ces entités intermédiaires semblent flotter entre deux mondes, tantôt émissaires de l'Un, tantôt protectrices de l'autre.

Faut-il vraiment associer l'ange à la beauté et la beauté à l'ange ? Qu'en est-il, alors, de tous ces êtres que la vie n'a pas gâtés esthétiquement parlant ? Avons-nous le droit de juger les autres sur le seul critère de la beauté ? N'est-ce pas là tentation du diable ?

Botticelli, par exemple, les a peints abondamment. Dans son tableau La Nativité (National Gallery, Londres), réalisé aux environs de 1501, on aperçoit au moins une vingtaine d'anges autour de la crèche.

L.T.

Vous connaîtrez la vérité et la vérité fera de vous des hommes libres.

JEAN 8, 32

M'abstenir de ces rêveries, où mon âme s'amollit et s'égare, ce m'est un renoncement de tous les instants.

L. Conan

Nous sommes ici pour dépasser nos premières limites, quelles qu'elles soient. Nous sommes ici pour reconnaître notre caractère magnifique et divin, peu importe ce qu'il nous dit.

L. Hay

Le vrai bien n'est qu'au Ciel. Il le faut acquérir;
Il faut remplir nos cœurs d'une si belle envie.
Notre heure va sonner. Songeons à bien mourir.
Et dégageons nos sens des pièges de la vie.

Maynard

L'ange de lumière a pour mission de personnifier Dieu auprès de nous, pauvres mortels, peut-être parce que la vue de Dieu lui-même nous serait insoutenable: un éblouissement.

Rencontré l'ange du vent ; l'ai suivi sous le vent.
Rencontré l'ange du soleil ; m'a parlé à l'oreille.
Rencontré l'ange du temps ; plus d'après, plus d'avant.

L.T.

On remarque souvent, sur le visage de la personne qui est sur le point de décéder, une expression incroyable de sérénité, même lorsqu'elle doit endurer les pires douleurs. La rencontre avec l'ange pourrait expliquer cette étonnante quiétude à l'heure du décès.

On dit parfois, et souvent sans y penser : « Par miracle, je n'y suis pas allée... » ou « Par miracle, je ne l'ai pas écouté... » Le miracle serait, si l'on se fie aux témoignages, une intercession de l'ange en notre faveur.

Mon corps, ô ma sœur,
a bien mal à sa belle
âme (...)

J. LAFORGUE

La vérité jette, lorsqu'elle est à un certain carat, une manière d'éclat auquel on ne peut résister.

DE RETZ

On a donné le nom d'ange à un poisson marin (squaliformes) à large tête et grandes nageoires pectorales, qui peut mesurer jusqu'à deux mètres de longueur, de forme intermédiaire entre la raie et le requin.

Hélas ! que vous entrez dans un pauvre logis.
Seigneur, qui méritez un Louvre incomparable !
Que vous entrez, hélas ! en un lieu misérable.
Au prix de vos Palais d'inestimable prix !

R. ANGOT

… Ne crains rien, Cupidon nous garde.
Mon petit ange, es-tu pas mien ?
Ah ! je vois que tu m'aimes bien :
Tu rougis quand je te regarde.

T. DE VIAU

... Cupidon, d'une douce flamme
Ouvrant la nuit de ce vallon,
Mit devant les yeux d'Apollon,
Le garçon dont il avait l'âme...

T. DE VIAU

Nous naissons pour mourir et mourons pour revivre. Pour revivre immortels cette foi nous avons : La mort plus que la vie aimer donc nous [illegible]. Puisque la même mort de la mort nous délivre...

P. MATHIEU

Ô radieux visages des saints ! ô lumineux regards qui plongez si avant dans l'éternité, et dans cet autre abîme qui s'appelle notre cœur ! qui vous a vus ne vous oubliera jamais.

L. CONAN

Une œuvre d'art, c'est le moyen d'une âme.

M. BARRÈS

Des anges volent autour de moi ; je les sens, je sens vibrer leurs ailes légères, je sais qu'ils batifolent en me tenant compagnie, parce que l'amour, hier, m'a ébloui.

L.T.

Il faut avoir beaucoup d'orgueil pour se pren[illegible] pour un ange ; mais il faut beaucoup d'h[illegible] pour finir par lui ressembler.

ANONYME

Et plus tard un Ange entr'ouvrant les portes,
Viendra ranimer, fidèle et joyeux,
Les miroirs ternis et les flammes mortes.

BAUDELAIRE

Petite, j'avais un petit ange qui me parlait par signes et qui était indigne ; plus tard, sans que je m'en aperçoive, il a beaucoup changé : il s'est mis à parler, il voulait tout dicter, du moindre de mes gestes à la moindre pensée ; il était bien plus sage et moins écervelé... Ce que je me suis ennuyée !

L.T.

Que ce soit dans la nuit et dans la solitude,
Que ce soit dans la rue et dans la multitude,
Son fantôme en dansant marche
comme un Flambeau.

Parfois il parle, et dit : « Je suis Belle
et j'ordonne.
Que pour l'Amour de MOI vous n'aimiez
que le Beau.
Je suis l'Ange Gardien, La Muse,
et la Madone. »

BAUDELAIRE

... Mon ange ira par cet ombrage ;
Le soleil, le voyant venir,
Ressentira du souvenir
L'accès de sa première rage.

T. DE VIAU

Ce n'est pas la chair qui est réelle, c'est l'âme. La chair est cendre, l'âme est flamme.

VICTOR HUGO

Si vous prenez une fleur dans votre main et la regardez vraiment, cette fleur devient votre monde pour un moment.

G. O'KEEFFE

devons *us trouverez une étoile pour éclairer votre chemin.*

UN COURS DE MIRACLES

Celui qui, après avoir été négligent, devient vigilant, illumine la terre comme la lune émergeant des nuées.

BOUDDHA

La vie est une fleur qui vit en nous, une fleur dont les racines plongent profondément en nous. Il nous faut la nourrir jour après jour.

H. DESBOIS

Quand on parle des anges, on ne peut pas se permettre d'oublier Lucifer, l'ange déchu. Il cherche à nous influencer, mais il est de mauvais conseil et veut notre perte face à Dieu.

L'ange, digne, jamais n'abusera de la créature qu'il protège. L'ange est la dignité de l'être, sa grandeur et son salut.

L.T.

Naître grand ou petit,
pauvre ou riche, qu'importe,
(...) Les grandeurs et les biens
sont emprunts du Destin ;
Comme l'on entre au monde,
il faut que l'on en sorte.

P. MATHIEU

Les caresses des yeux sont les plus adorables.

ANGELLIER

La sérénité est un jardin qu'il nous faut cultiver chaque jour.

H. DESBOIS

J'appelle vices des maladies de l'âme, qui ne sont point si aisées à connaître que les maladies du corps, parce que nous faisons assez souvent l'expérience d'une parfaite santé du corps, mais jamais de l'esprit.

DESCARTES

Mes vers fuiraient, doux et grêles,
Vers votre jardin si beau,
Si mes vers avaient des ailes
Des ailes comme l'oiseau.

HUGO

Les enfants, émerveillés,
regardaient les mésanges
Voler dans les buissons de fleurs
Radieuses et lumineuses,
elles poursuivaient les anges.

L.T.

Je crois qu'une mère est ce qu'il y a de plus près d'un ange sur terre. Je vois comment elle se donne et comment elle aime sans conditions et je suis ému.

J.-P. ROBILLARD

… Ô Dieu ! qui me fais concevoir
Toutes ces futures merveilles,
Toi seul à qui, pour mon devoir,
J'offrirai les nuits de mes veilles,
Accorde-moi par ta bonté
La gloire de l'éternité,
Afin d'en couronner mon âme ;
Et fais qu'en ce terrible jour
Je ne brûle point d'autre flamme
Que de celle de ton amour…

SAINT-AMANT

Qui vit en paix avec lui-même
vit en paix avec l'univers.

M. AURÈLE

La rêverie est la vapeur de la pensée.

HUGO

Le lys blanc
Vit chaque instant
Sans un mouvement.

H. DESBOIS

Et si vous pouviez garder votre cœur en émerveillement devant les miracles quotidiens de votre vie, votre douleur ne vous semblerait pas moins merveilleuse que votre joie.

K. GIBRAN

Les gens ne peuvent changer la vérité. La vérité change les gens.

D. BAIRD

Seule une pluie d'amour peut faire éclore la vie dans toute sa plénitude.

E. HUBBARD

J'ai pris ma mère mourante dans mes bras et je lui ai dit : « Je t'aime maman, tu peux lâcher prise maintenant. » À ces mots, je l'ai sentie partir rejoindre ses anges.

M. ALAIN

Ce que l'on crée en soi se reflète toujours à l'extérieur de soi. C'est là la loi de l'univers.

S. GAWAN

Rien ne reflète mieux l'âme des gens que le cadre dans lequel ils vivent.

A. PARIZEAU

Le corps est la maison de notre âme. Ne faut-il pas s'occuper de la maison afin qu'elle ne tombe pas en ruine ?

P. JADAEUS

La nature a des perfections pour montrer qu'elle est l'image de Dieu, et des défauts pour montrer qu'elle n'en est que l'image.

PASCAL

Lorsque j'ai frappé le fond et que j'étais persuadé que ma vie n'avait plus de sens, mon ange est venu me visiter dans mes rêves, et m'a dit ceci : « Marc, n'oublie pas, tu es aimé ! »

M. POITRAS

Bien que la souffrance soit répandue en ce bas monde, on rencontre partout des gens qui l'ont surmontée.

H. KELLER

N'oublie pas que chaque nuage, si noir soit-il, a toujours une face ensoleillée tournée vers le ciel.

W. WEBER

Suis ton cœur pour que ton visage rayonne durant le temps de ta vie.

SAGESSE ÉGYPTIENNE

Prends garde à ne point orner ta maison plus que ton âme ; donne surtout tes soins à l'édifice spirituel.

J. HUS

C'est l'esprit qui fait le bien ou le mal, qui rend heureux ou malheureux, riche ou pauvre.

E. SPENSER

Fais du bien à ton corps pour que ton âme ait envie d'y rester.

PROVERBE INDIEN

Il suffit d'un regard, d'un début de sourire pour créer un premier chemin vers le cœur d'un autre.

H. DESBOIS

Où les anges prennent-ils cette adorable indulgence, cette ineffable compassion pour des faiblesses qu'ils ne sauraient comprendre ?

L. CONAN

La femme s'en alla dire à son mari : « Un homme de Dieu m'a abordée qui avait l'apparence de l'Ange de Dieu, tant il était majestueux. »

LA BIBLE

Pardonnez beaucoup de choses, oubliez-en un peu.

HUGO

Rien n'est petit pour un grand esprit.

A. C. DOYLE

L'âme trouve son repos en dormant peu, le cœur dans le peu d'inquiétudes et la langue dans le silence.

PLATON

La souffrance est un périple qui a une fin.

M. FOX

La véritable mosquée est celle qui est construite au fond de l'âme.

PROVERBE ARABE

L'expression « rire aux anges » signifie sourire tout seul, sans cause apparente.

Le prophète iranien Zarathushtra avait des visions : un être de lumière lui apparaissait parfois pour l'emmener jusqu'aux cieux, où il pouvait s'entretenir avec le Très-Haut, qui lui confia sa mission sur la terre.

La gentille Alouette avec son tire-lire. Tire l'ire à l'iré, et tire-lirant tire. Vers la voûte du Ciel : puis son vol vers ce lieu. Vire et désire dire : adieu Dieu, adieu Dieu.

DU BARTAS

Un matin, en faisant le lit, j'ai trouvé une petite plume blanche. Bien sûr, je me suis dit qu'elle s'était échappée de l'oreiller, mais ça m'a fait sourire... aux anges.

L.T.

Les anges, ces purs esprits, selon les écritures, sont des êtres doués d'une intelligence lumineuse ; ils sont forts et aériens, et parcourent des distances infinies pour accomplir leur mission.

Les « grands rêves », c'est-à-dire les rêves où les forces de la Nature nous apparaissent : la terre, l'eau, le soleil, le feu, seraient des manifestations de la puissance divine, un genre d'annonciation.

Le Poète est semblable au prince des nuées (...)
Ses ailes de géant l'empêchent de marcher.

BAUDELAIRE

Et l'on voit de la flamme
aux yeux des jeunes gens,
Mais, dans l'œil du vieillard,
on voit de la lumière.

HUGO

(...) Et que derrière un voile, invisible et présente.
J'étais de ce grand corps l'âme toute-puissante.

Racine

Il y a assez de lumière pour ceux qui ne désirent que de voir, et assez d'obscurité pour ceux qui ont une disposition contraire.

Pascal

Vous avez fait, mon Dieu, la vie et la clémence;
Et chacun de vos pas est marqué par un don.
C'est à votre regard que tout amour commence.
Vous écriviez: Douleur, un ange lut: Pardon.

Hugo

Mon âme a son secret, ma vie a son mystère.

A.-F. Arvers

L'expression « être aux anges » signifie être très heureux, être dans le ravissement total...
Quand je vous vois, amour, je suis aux anges.

Il y a un silence du corps et de l'âme : c'est la condition du bien-être.

M. Toesca

Le vrai bonheur est dans le calme de l'esprit et du cœur.

C. Nodier

Dans le clair-obscur, le silence est encore le meilleur interprète des âmes.

P. Javor

Le silence, cette paix totale qui arrive plus qu'on ne la provoque, qui concerne l'esprit plutôt que l'ouïe.

J. Bonenfant

Les mains sont l'homme, ainsi que les ailes l'oiseau.

G. Nouveau

Quand on connaît son mal moral, il faut savoir soigner son âme comme on soigne son bras ou sa jambe.

Napoléon 1er

La religion est proportionnée à toutes sortes d'esprits. (...) Les plus instruits vont jusqu'au commencement du monde. Les anges la voient encore mieux, et de plus loin.

Pascal

Une grande âme est au-dessus de l'injure, de l'injustice, de la douleur, de la moquerie ; et elle serait invulnérable si elle ne souffrait par la compassion.

LA BRUYÈRE

Les personnes qui ont aperçu la lumière de l'au-delà en frôlant la mort sont unanimes : elles ont ressenti une paix absolue, ont été envahies par un sentiment de sécurité et de douceur comme jamais elles n'en avaient connu.

L.T.

Les manœuvres inconscientes d'une âme pure sont encore plus singulières que les combinaisons du vice.

R. RADIGUET

Le paradis n'est pas sur la terre, mais il y en a des morceaux. Il y a sur la terre un paradis brisé.

J. RENARD

C'est en écoutant notre cœur que nous nous rapprocherons des anges. C'est en laissant parler notre cœur que nous percevons ces êtres célestes qui se déploient dans un univers parallèle.

L.T.

Celui qui vit dans la vérité n'a rien à craindre.

H. DESBOIS

Patience et longueur de temps font plus que force ni que rage.

LA FONTAINE

La vieillesse apporte une lucidité dont la jeunesse est bien incapable et une sérénité bien préférable à la passion.

M. JOUHENDEAU

Alors un autre ange m'apparut, puissant, qui descendait du ciel, entouré d'une nuée, la tête rayonnant l'arc-en-ciel, les jambes en colonnes de feu.

NOUVEAU TESTAMENT

Les âmes sont les idées de Dieu.

G. DE NERVAL

La tranquillité de l'âme provient de la modération dans le plaisir.

DÉMOCRITE

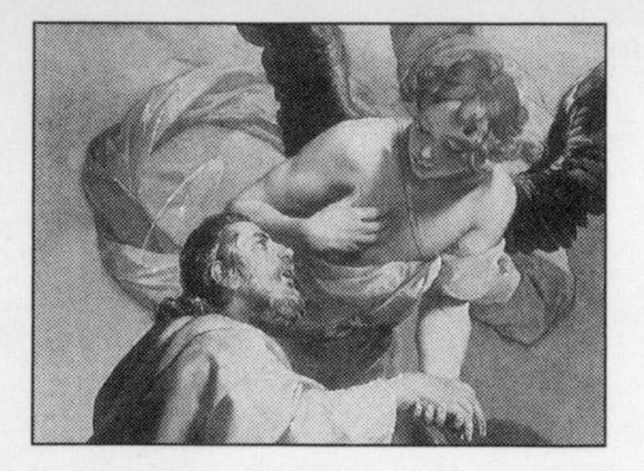

Mortel, ange ET démon, autant dire Rimbaud (...)

VERLAINE

... Mais dans ces régions sauvages, l'âme se plaît à s'enfoncer dans un océan de forêts, à planer sur le gouffre des cataractes, à méditer au bord des lacs et des fleuves, et, pour ainsi dire, à se trouver seule devant Dieu.

CHATEAUBRIAND

Selon Pierre Jovanovic, l'être humain est un individualiste que la conviction de «posséder» un ange gardien conforte plus que l'idée de Dieu.

La vie de l'être, et plus spécifiquement celle de l'esprit qui nous habite, ne s'arrête donc pas au moment de la mort physique. Le cœur s'arrête de battre, alors que l'âme voyage dans l'au-delà à la rencontre de la Lumière.

L.T.

... Mais que dis-je, Seigneur ?
Pardonne à mes transports ;
C'est assez que la foi
montre aux yeux de mon âme
Ce qu'un peu de blancheur
cache aux yeux de mon corps.

GOMBERVILLE

Combien d'âmes réellement vivantes dans ce grouillement d'êtres humains ?

L. BLOY

Hasard, coïncidence, pressentiment... il est permis de se poser des questions sur ces événements troublants qui nous font éviter le pire. On peut être tenté d'en déduire qu'une force surnaturelle nous protège.

L.T.

Un peu de dureté sied bien aux grandes âmes.

CORNEILLE

« La Sagesse nous envoie à l'enfance », disait Pascal. Et si l'enfance nous renvoyait aux anges ?

Nous avons tous connu quelqu'un, qui nous est apparu, dans les moments difficiles de nos vies, comme un ange placé sur notre chemin pour nous protéger et nous guider.

Selon les témoignages, les anges n'ont pas toujours des ailes, bien au contraire, et pourtant ils se déplacent à la vitesse de la pensée. Mais qu'est-ce qui les fait agir ?

Se dévouer, aider les autres, exige des qualités. On parle souvent de « vocation », quand on rencontre des personnes d'une telle générosité, et on a tendance à dire que ce sont des anges.

L.T.

Elles sont nombreuses, les femmes qui portent en elles une part d'ange et qui aiment à veiller sur leurs proches ; plusieurs vont jusqu'à offrir leur temps bénévolement pour améliorer la qualité de vie de leurs semblables.

Ceux qui ont mené des études sérieuses sur l'existence des anges, ont été forcés d'admettre que ceux-ci sont des outils divins, des réseaux de lumière par lesquels Dieu transmet aux hommes son amour infini et inconditionnel.

L.T.

(...) un Ange, un Médiateur pris entre mille, qui rappelle à l'homme son devoir, le prenne en pitié et déclare : « Exempte-le de descendre dans la fosse : j'ai trouvé la rançon pour sa vie ».

LA BIBLE

La mort est le commencement de l'immortalité.

ROBESPIERRE

C'est aux chrétiens une occasion de croire, que de rencontrer une chose incroyable.

MONTAIGNE

... selon le sage Salomon, sapience (sagesse) n'entre point en âme malivole (de mauvaise volonté), et science sans conscience n'est que ruine de l'âme.

RABELAIS

Un jour, sur la grand-route, j'ai cru voir un oiseau blessé et je me suis arrêtée. Ce n'était qu'un carton blanc. Je repris le volant aussitôt, et deux kilomètres plus loin, la voiture qui me suivait avant que je ne m'arrête venait de heurter un orignal énorme. Le conducteur était mort sur le coup.

L.T.

Au sixième mois, l'Ange Gabriel (...) dit à Marie: « Voici que vous allez concevoir et enfanter un fils auquel vous donnerez le nom de Jésus. »

NOUVEAU TESTAMENT

Dieu a exempté mon âme de passer par la fosse, il maintient ma vie sous la lumière. Voilà tout ce que fait Dieu pour l'homme, afin d'arracher son âme à la fosse et de laisser briller sur lui la lumière des vivants.

LA BIBLE

… Dieu parle, il faut qu'on lui réponde.
Le seul bien qui me reste au monde
Est d'avoir quelquefois pleuré.

MUSSET

Pourquoi l'idée de rencontrer un ange nous semble-t-elle si étrange ? Peut-être parce que l'ange est l'envoyé de Dieu et que nous doutons toujours de cette présence mystérieuse.

Les âmes grandes sont toujours disposées à faire une vertu d'un malheur.

BALZAC

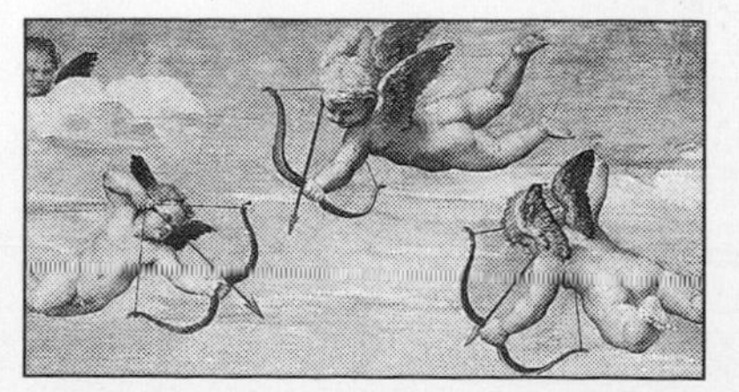

Ô doux sommeil, ô nuit à moi heureuse ! Plaisant repos plein de tranquillité, Continuez toutes les nuits mon songe.

L. Labé

L'image de la mère compréhensive, douce et dévouée à ses enfants à chaque étape de leur vie est encore très ancrée dans nos sociétés judéo-chrétiennes. Bien sûr, cette mère angélique est un idéal auquel peu peuvent atteindre, bien que beaucoup y aspirent.

Derrière tout bonheur ; derrière toute joie
Derrière toute aventure heureuse
Il y a un ange qui veille et nous montre la voie.

L.T.

Il n'y a que les passions et les grandes passions, qui puissent élever l'âme aux grandes choses.

Diderot

J'entendis le son de ses paroles, (…) je m'évanouis, et tombai le visage prostré à terre. Une main me toucha. (...) Il me dit : « Daniel, homme des prédilections, (…) me voici à toi envoyé. »

LA BIBLE

Uriel fait partie des quatre archanges supérieurs chargés d'assurer la justice. En hébreu « feu de Dieu », Uriel est l'ange le plus souvent cité dans la liturgie orientale.

« Être ange, c'est étrange, dit l'ange. » Non, je ne peux pas écrire ça, Prévert l'a fait avant moi, mais la tentation est grande de s'approprier ses vers, ils sont si simples et si beaux !

L.T.

Notre âme a plus de capacité pour le plaisir que pour la douleur.

DE BIRAN

Un ange qui passait par là
M'a fait signe de le suivre
Sans hésiter un instant
J'ai déployé mes ailes…

L.T.

Selon Valery Larbaud, chaque pays aurait son ange gardien, qui présiderait à tout, de la beauté des habitants à l'efficacité de l'État ; Larbaud l'appelait « l'ange géographique ».

J'ai toujours pensé que si je le rencontrais, je reconnaîtrais mon ange à ses ailes, mais s'il n'en a pas ? Ah ! oui… cette lumière !

L.T.

… Où l'homme, en la fosse couché,
Après que la mort l'a touché,
Le cœur est mort comme l'écorce ;
Encor l'eau reverdit le bois,
Mais, l'homme étant mort une fois,
Les pleurs pour lui n'ont plus de force.

M. RÉGNIER

L'ange n'aurait ni forme, ni genre défini. Il s'agirait plutôt d'une lumière extraordinaire, d'un «flux d'énergie pure» qui n'a ni voix ni ailes, mais qui communique par télépathie et se déplace de même, à une vitesse vertigineuse.

Combattez contre vous-même, vous acquerrez la tranquillité de l'âme.

PROVERBE ORIENTAL

Gardons l'esprit libre, c'est l'unique quiétude, la vraie, la seule vraie.

C. JASMIN

Au-delà du mensonge
Se cache la vérité
Ses racines plongent
Au cœur de la simplicité.
À chacun de la trouver.

H. DESBOIS

La haine, comme l'amour, se nourrit des plus petites choses.

BALZAC

L'amour, c'est le calme et la confiance.

T. TARDIF

L'archange Michaël nous apparaît comme l'ange de Yahvé, son nom hébreu signifie « qui est comme Dieu ». Prince des anges, il doit affronter le démon dans un combat historique. Il vient en aide au peuple juif.

Je suis la fleur d'amour qu'Amarante
on appelle.
Et qui vient de Julie adorer les beaux yeux.
Roses, retirez-vous, j'ai le nom d'immortelle !
Il n'appartient qu'à moi de couronner
les dieux.

DE GOMBAUD

Bénis soient ceux qui nous guérissent de notre mépris envers nous-même. De tous les services que l'on peut rendre à l'homme, je n'en connais pas de plus précieux.

W. H. WHITE

Les êtres humains, en changeant les attitudes intérieures de leur esprit, peuvent transformer les aspects extérieurs de leur vie.

W. JAMES

Je l'ai mis dans ma poche
Pour l'emmener partout
C'est mon ange de poche
Un merveilleux atout.

L.T.

Il n'y a de paix qu'entre esprit et esprit.

ALAIN

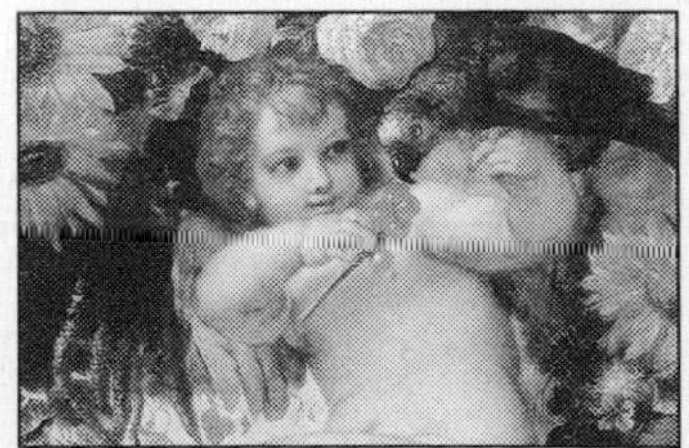

S'armer de patience, combien l'expression est juste ! La patience est effectivement une arme, et qui s'en munit, rien ne saurait l'abattre.

E. CIORAN

Il y a toujours un fameux singe dans la plus jolie et la plus angélique des femmes !

BALZAC

… On déguise la mort de postures étranges. De traits, de faux en main, de bière sur le dos. Et comme on donne à tort poil et plumes aux anges. Et de même on la fait d'une carcasse d'os…

P. MATHIEU

N'as-tu donc pas, Seigneur, assez d'anges aux cieux ?

HUGO

On ne peut pas partir de l'infini, on peut y aller.

J. LACHELIER

Un paysage quelconque est un état de l'âme.

AMIEL

Les anges veillent sur la Nature, sur le soleil et la pluie, sur la fécondité des êtres de toutes espèces. Les anges sont des intermédiaires entre Dieu et les hommes qui veulent lui ressembler.

Point de règles pour les grandes âmes : elles sont pour les gens qui n'ont que le talent qu'on acquiert.

DELACROIX

Les âmes fortes ne sont ni jalouses ni craintives : la jalousie est un doute, la crainte est une petitesse.

BALZAC

Elles entrèrent dans le sépulcre et virent un jeune homme assis à droite, revêtu d'une robe blanche. Elles furent saisies de stupeur. L'Ange leur dit : « Ne vous effrayez pas. Vous cherchez Jésus de Nazareth qui a été crucifié ? Il est ressuscité, il n'est pas ici. »

NOUVEAU TESTAMENT

Mes sens n'ont plus de sens,
l'esprit de moi s'envole
Le cœur ravi se tait, ma bouche est sans parole :
Tout meurt, l'âme s'enfuit, et reprenant son lieu
Extatique se pâme au giron de son Dieu.

T.-A. D'AUBIGNÉ

J'ai plus de souvenirs que si j'avais mille ans.

BAUDELAIRE

Aucune joie n'égale celle de servir autrui.

SAI BABA

Au jour de la résurrection, dit Jésus, il n'y aura ni fiançailles ni mariage. Les ressuscités seront comme des anges dans le ciel. (...) Dieu n'est pas le Dieu des morts, mais le Dieu des vivants.

NOUVEAU TESTAMENT

Un Ange du Seigneur descendit du ciel (...). Il était brillant comme un éclair et son vêtement était blanc comme la neige. (...) L'Ange dit aux femmes : « ...Hâtez-vous de dire à ses disciples qu'il est ressuscité d'entre les morts. »

NOUVEAU TESTAMENT

Retournez, retournez à l'infini, lui seul est assez grand pour l'homme.

LACORDAIRE

Quant au jour et à l'heure (de la fin du monde), personne ne sait, pas même les anges des cieux, mais le Père seul.

NOUVEAU TESTAMENT

Faire confiance, espérer
C'est le secret des anges
Que l'un d'eux m'a soufflé.

L.T.

La délicatesse, ce merveilleux élan du cœur de l'espèce humaine, se manifeste de la façon la plus significative dans les petits gestes.

M. B. HOWITT

Dans l'Apocalypse, Gabriel nous est présenté comme l'ange interprète des visions et des prophéties, son nom hébreu signifie «force de Dieu».

Dans l'Évangile selon Luc, Gabriel annonce à Zacharie la naissance de Jean-Baptiste. Dans le Coran, il révèle à Mahomet sa vocation de prophète. Comme pour Raphaël, les catholiques le fêtent aussi le 29 septembre.

Le monde est aveugle.
Rares sont ceux qui voient.

BOUDDHA

Quand je fais le portrait d'un ami, je ne peux pas résister à l'envie de lui dessiner des ailes. Grandes ou petites, blanches ou roses, elles font sourire tout le monde ; je crois même que ça les transforme subtilement.

L.T.

La terre est au soleil ce que l'homme est à l'ange.

HUGO

Raphaël, « l'un des sept anges qui se tiennent devant la Gloire du Seigneur », était le protecteur de Tobie, et son guérisseur. Son nom hébreu signifie « Dieu guérit » ; on le fête le 29 septembre.

Je m'en vais envoyer un ange devant toi, pour qu'il veille sur toi au cours de ton voyage, et te fasse parvenir au lieu que j'ai fixé. Révère-le et écoute sa voix. Ne lui sois point rebelle.

LA BIBLE

Quand le Fils de l'homme viendra glorieux, entouré de ses anges, il s'assiéra sur son trône de gloire. Toutes les nations se rassembleront devant lui, et il les séparera comme le berger sépare les brebis des boucs.

NOUVEAU TESTAMENT

Un ange est passé hier soir dans ma chambre
Il s'est assis dans le fauteuil à franges
A fredonné un air, décroché un nuage
C'était le plus bel ange, il avait ton visage.

L.T.

Les Angéliques

Des soirs, j'errais en lande hors du hameau natal.
Perdu parmi l'orgueil serein des grands
monts roses.
Et les Anges, à flots de longs timbres moroses.
Ébranlaient les bourdons, au vent occidental.

Comme un berger-poète au cœur sentimental,
J'aspirais leur prière en l'arôme des roses,
Pendant qu'aux ors mourants, mes troupeaux
de névroses
Vagabondaient le long des forêts de santal.

Ainsi, de par la vie où j'erre solitaire.
J'ai gardé dans mon âme un coin de vieille terre.
Paysage ébloui des soirs que je revois ;

Alors que, dans ta lande intime, tu rappelles.
Mon cœur, ces angélus d'antan, fanés,
sans voix :
Tous ces oiseaux de bronze envolés
des chapelles !

NELLIGAN

Parmi les Archanges, les plus connus sont Gabriel, Michaël, Raphaël et Uriel ; on dit qu'ils se distinguent des anges gardiens en leur qualité d'anges de lumière.

... Ma partie est bien petite en ce monde, et si peu considérable, que, quand je regarde de près, il me semble que c'est un songe de me voir ici, et que tout ce que je vois ne sont que de vains simulacres...

BOSSUET

L'ouvrage du monde entier a cent fois plus d'art, d'ordre, de proportion et de symétrie que tous les ouvrages les plus industrieux des hommes. Ce serait donc s'aveugler par obstination que de ne pas reconnaître la main toute-puissante qui a formé l'univers.

FÉNELON

Dans une grande âme, tout est grand.

PASCAL

Les experts de l'angélologie s'accordent pour dire que les anges gardiens sont nos compagnons de route sur la terre. Ils se manifestent lorsque nous faisons appel à eux, tout simplement.

Un frémissement, un bruit d'aile
J'ai à peine senti une plume m'effleurer
Un ange venait de passer…

L.T.

Dieu les a soumis à l'épreuve et les a trouvés dignes de lui. (...) Au jour de sa visite, ils resplendiront, ils courront comme des étincelles à travers le chaume...

LA BIBLE

Il faut pleurer les hommes à leur naissance, et non pas à leur mort.

MONTESQUIEU

L'homme est un pendule oscillant de la brute à l'ange.

HUGO

On veut être immortels et pour y arriver
Dieu nous a envoyé ces êtres spirituels
Dont la bonté infinie illumine le regard ailé.

L.T.

… Abraham étendit la main et saisit le couteau pour immoler son fils. Mais l'ange de Yahvé l'appela du ciel et dit : « Abraham ! Abraham ! n'étends pas la main contre l'enfant ! Ne lui fais aucun mal ! Je sais maintenant que tu crains Dieu…

LA BIBLE

Un contemporain de Botticelli, Andrea del Sarto, a peint « Le Sacrifice d'Abraham », où l'on peut voir un angelot ailé retenir le bras d'Abraham qui s'apprête à sacrifier son fils Isaac.

Les pires choses en général sont faites des meilleures qui ont mal tourné. Les diables sont faits d'anges.

HUGO

Instinctivement, nous savons que ces êtres célestes et diaphanes nous aiment d'un amour inconditionnel, qu'ils sont là pour nous conseiller, nous protéger et nous faire oublier nos tourments.

L. T.

Une femme qui a un amant est un ange, une femme qui a deux amants est un monstre, une femme qui a trois amants est une femme.

HUGO

Le soleil ni la mort ne se peuvent regarder fixement.

LA ROCHEFOUCAULD

L'éclat des étoiles fait la beauté du ciel ; c'est l'ornement brillant des hauteurs du Seigneur. Sur l'ordre du Dieu saint, elles se tiennent à la place qu'Il décide, et aucune n'abandonne son poste.

LA BIBLE

On entend parfois dire de certains enfants qu'ils ont un air « séraphique », ce qui signifie qu'ils dégagent une douceur extrême, qu'ils ont la candeur et l'innocence des anges.

J'aime les nuages… les nuages qui passent… là-bas… les merveilleux nuages.

BAUDELAIRE

Les Vertus sont capables de diffuser des quantités massives d'énergie divine et spirituelle.

On distingue, parmi les anges, trois hiérarchies, subdivisées en trois chœurs :
1) les Séraphins, les Chérubins et les Trônes ;
2) les Dominations, les Vertus et les Puissances ;
3) les Principautés, les Archanges et les Anges.

Les Séraphins sont les êtres célestes qui entourent le trône de Dieu, chantant la musique des sphères et régulant les mouvements des cieux.

Les Trônes sont les anges compagnons des planètes, et pour nous ici-bas, l'important est de reconnaître l'ange de la Terre, qui veille sur notre monde.

Les Dominations, bien qu'entrant rarement en contact avec les être humains, interviennent pour faciliter l'intégration du monde matériel au monde spirituel.

Cette jolie idée de Saint-Pol-Roux que les arbres échangent des oiseaux comme des paroles.

RENARD

À qui donc avez-vous donné votre cœur ?
Ne me dites pas que vous l'avez repris.
Gardez-vous bien, amour, de me quitter ainsi.
Et venez m'embrasser, mon ange, je vous prie.

L.T.

À moins qu'une belle femme ne soit un ange, son mari est le plus malheureux des hommes.

ROUSSEAU

Il semble que des personnes déclarées « cliniquement mortes » soient sorties de leur corps et se soient vues « flottant » littéralement au-dessus du lit où elles étaient étendues.

Les hommes sont des anges stagiaires.

HUGO

Dans les temps anciens, il y avait des ânes que la rencontre d'un ange faisait parler. De nos jours, il a des hommes que la rencontre d'un génie fait braire.

HUGO

Face à l'amour véritable, l'être humain a tendance à dire « j'ai rencontré un ange ».

Laisser passer les anges sans les saluer serait une grave erreur pour qui veut s'élever au-dessus de la mêlée.

L.T.

Les paysages étaient comme un archet qui jouait sur mon âme.

STENDHAL

Ces heures de solitude et de méditation sont les seules de la journée où je sois pleinement moi et à moi sans diversion, sans obstacle, et où je puisse véritablement dire être ce que la nature a voulu.

ROUSSEAU

Avez-vous déjà eu cette impression étrange d'être « protégé » par quelque chose d'impalpable, d'inexplicable, mais dont vous ressentiez très fortement la présence rassurante ?

L.T.

Les Chérubins sont les gardiens des étoiles et de la lumière. La lumière divine qu'ils diffusent à partir du paradis se répercute sur nos vies à tous.

L'habitude de rentrer en moi-même me fit perdre enfin le sentiment et presque le souvenir de mes maux, j'appris ainsi par ma propre expérience que la source du vrai bonheur est en nous, et qu'il ne dépend pas des hommes de rendre vraiment misérable celui qui sait vouloir être heureux.

ROUSSEAU

Heureux ceux qui sont morts,
car ils sont retournés.
Dans la première argile et la première terre.
Heureux ceux qui sont morts dans une
juste guerre.
Heureux les épis mûrs et les blés moissonnés...

PÉGUY

Donner, recevoir, partager
C'est ce que les anges nous enseignent
Quand nous nous arrêtons pour tendre l'oreille.

L.T.

Aimer, c'est donner raison à l'être aimé qui a tort.

PÉGUY

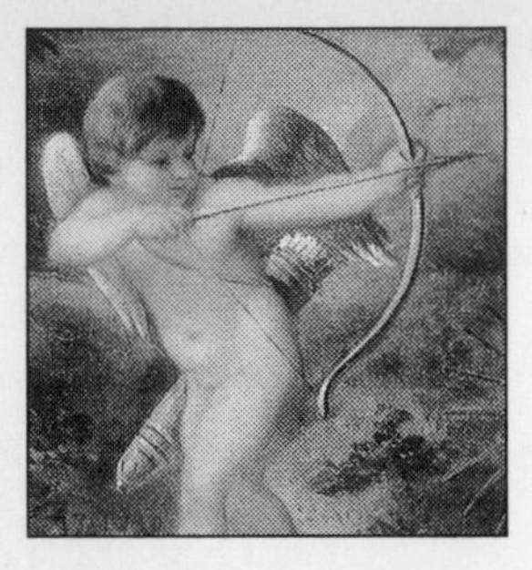

Je connais l'étrange
Variété du noir
Qui a nom lumière.

E. GUILLEVIC

Ce qui m'étonne, dit Dieu, c'est l'espérance. Et je n'en reviens pas. Cette petite espérance qui n'a l'air de rien du tout. Cette petite fille espérance. Immortelle.

PÉGUY

Quand les muses s'amusent à nous faire valser, les anges les accompagnent de leurs harpes célestes. Célébrons les dimanches, dansons dans l'allégresse.

L.T.

Les hommes recouvrent leur diable du plus bel ange qu'ils puissent trouver.

M. D'ANGOULÊME

Vénérez la beauté, mais n'oubliez pas de vous en méfier, car on dit que derrière la finesse des traits peut se cacher un ange qui a mal tourné...

L.T.

L'ange gardien ne se tiendrait pas toujours sur l'épaule droite de l'individu qu'il protège, mais le recouvrirait parfois comme une chape.

La légèreté est douce au cœur qui a souffert
La plume se soulève au moindre mouvement
Et l'amour nous élève au paradis des amants.

L.T.

Anges purs, anges
radieux,
Portez mon âme au sein
des cieux !

CARRÉ ET BARBIER

Les privilégiés qui, à l'orée de la mort, ont rencontré leur ange, se sont sentis enveloppés dans un amour inconditionnel, un amour qui émanait de l'être de lumière qui les accompagnait.

L'air n'est plus que rayons tant il est semé d'anges.

LES TRAGIQUES

Le ciel est, par-dessus le toit,
Si bleu, si calme !

VERLAINE

En vérité, en vérité, je vous le dis, vous verrez le ciel ouvert et les anges de Dieu monter et descendre au-dessus du Fils de l'homme.

LA BIBLE

Selon E. Swedenbord, philosophe anglais du XVIIIe siècle, les anges sont des âmes qui ont choisi le Ciel ; il suffirait que l'un d'eux pense à un autre ange pour que celui-ci lui apparaisse aussitôt.

Désir et douleur ne peuvent pas se dissocier
Tout comme amour et douceur
Pour croire à l'éternité.

L.T.

Gardez-vous de mépriser aucun de ces petits ; car je vous le dis, leurs anges aux cieux voient continuellement la face de mon Père qui est aux cieux.

LA BIBLE

Les anges n'ont pas de sexe, puisqu'ils sont éternels.

A. COMTE

L'inspiration est
une prière exaucée
Un ange penché
sur l'épaule du poète
Quand les mots se bousculent
pour enfin s'épouser.

L.T.

Il y a ceux qui se tiennent le plus près de Dieu, les Séraphins, les Chérubins et les Trônes, de purs esprits, diaphanes et désincarnés, que rien de la laideur du monde jamais ne pourrait atteindre.

Il y a aussi ces majestueux anges protecteurs aux ailes déployées et immenses, images de la plus grande sagesse, dont la seule présence semble pouvoir apaiser toutes les souffrances.

Les places des anges ne sauraient se remplir que lentement, à cause de la rareté de ceux qui étant dans un âge avancé meurent avec la grâce de Dieu.

ABBÉ DE SAINT-CYRAN

On appelle « angélisme » l'expression d'un désir de pureté extrême, une disposition à se croire désincarné, à se comporter en pur esprit.

Les angelots sont souvent représentés sans corps, flottant dans les airs avec une jolie tête bouclée agrémentée d'ailes roses et dorées, recouvertes d'un duvet léger.

Les anges auxquels nous croyons sont omniprésents, ils entendent nos prières et partagent nos secrets les plus intimes. Ils connaissent nos désirs réels et sont là pour illuminer notre chemin.

L.T.

L'instinct, c'est l'âme à quatre pattes; la pensée c'est l'esprit debout.

HUGO

J'ai vu un ange dans le marbre et j'ai seulement ciselé jusqu'à l'en libérer.

MICHEL-ANGE

Le vent était mauvais, la pluie nous fouettait
Nous étions presque nus, affamés et perdus
Mais en chacun de nous, une chaleur exquise
Nous donnait le courage d'accorder
nos pas à ceux de l'ange
Qui nous guidait tout droit
vers la terre promise.

L'homme n'est ni ange ni bête, et le malheur veut que qui veut faire l'ange fait la bête.

PASCAL

Instinctivement, nous savons que ces êtres célestes et diaphanes nous aiment d'un amour inconditionnel, qu'ils sont là pour nous conseiller, nous protéger et nous faire oublier nos tourments.

L.T.

Ils étaient trois grands anges
au-dessus de nos têtes
Trois anges aux formes blanches,
souples et transparentes
Suivant le noir cortège,
attendris, indulgents
Qui attendaient les âmes
de ces honnêtes gens.

L.T.

Les jeunes vagabonds au cœur de hérisson
Crachent comme les dragons,
et se moquent des anges
Mais ces êtres espiègles,
qui en ont vu bien d'autres
Malgré eux les protègent,
déguisés en papillons.

L.T.

Le pauvre cherche la richesse et le riche le ciel, mais le sage cherche l'état de tranquillité.

S. RAMA

Les anges sont si beaux
dans leur voile de lumière
Je voudrais parcourir leur
univers solaire
Marcher à leurs côtés
vers les cieux entrouverts.

L.T.

Mais l'espérance, dit Dieu, voilà ce qui m'étonne.
Moi-même. Ça c'est étonnant.

PÉGUY

Dans les sous-bois au mois de mai
Flottent des ombres diaphanes
Ce sont des anges, des anges gais
Dansant pour nous sous les platanes.

L.T.

Beaucoup de gens ayant frôlé la mort ont témoigné d'une rencontre avec l'ange extraordinaire et apaisante, alors que la plupart se sont fait dire que « leur heure n'était pas venue ».

Tobie sortit, en quête d'un bon guide capable de venir avec lui, en Médie. Dehors, il trouva Raphaël, l'ange, debout face à lui (sans se douter que c'était un ange de Dieu).

LA BIBLE

Revenir sur ses pas,
regarder en arrière ou aller de l'avant
Aujourd'hui ou hier,
c'est du pareil au même
Puisque mon ange, à chaque instant
M'accompagne dans ma quête.

L.T.

Parmi les Puissances, on trouve les anges de la naissance et de la mort ; ils portent la conscience et l'histoire de toute l'humanité.

Quand les anges au cœur pur
Me prennent par la main
Je les suis en silence
La vie est un lendemain.

L.T.

Aimer les anges,
c'est croire à la beauté
Aimer la beauté,
c'est croire à l'absolu
Viser l'absolu,
c'est croire à l'éternité.

L.T.

L'homme ne cède aux anges et ne se rend entièrement à la mort que par l'infirmité de sa pauvre volonté.

POE

J'ai eu un grand frisson,
mais je n'ai pas eu froid
J'ai tremblé un instant,
mais je n'ai pas eu peur
J'ai été aveuglé par sa lumière intense
Et pourtant j'ai tout vu,
plus clairement qu'autrefois
Quand mon ange est venu
pour me montrer la voie.

L.T.

Vous avez fait, mon Dieu,
la vie et la clémence ;
Et chacun de vos pas est marqué par un don.
C'est à votre regard que tout amour commence,
Vous écriviez : Douleur, un ange lut : Pardon.

HUGO

Alors que les anges gardiens sont affectés à des individus, les Principautés veillent sur les collectivités. On les nomme aussi anges d'intégration.

Tous, nous sommes fascinés par les anges, leur beauté, leur légèreté, leur proximité avec le monde des esprits. En appelant les anges dans nos vies, nous nous ouvrons à l'amour et à la transcendance.

L. T.

Les anges n'ont pas de sexe, puisqu'ils sont éternels.

COMTE

transcontinental
IMPRESSION
IMPRIMERIE GAGNÉ